O PODER
DO AGRADECER

O GESTO QUE
GERA O INFINITO

Pedro Bassini Filho

O poder do agradecer
O gesto que gera o infinito
1ª edição: 2020
Pedro Bassini Filho

Edição, Correção e revisão: Daniel Genuíno
Diagramação e projeto gráfico: Marcus V. P. Alcântara
Coordenação Editorial: Nilce Sousa
Revisão final inglês: Bianca E. Menezes Alves
Capa e projeto gráfico: Jonatas Santos

Publicado no Brasil por: Cevi Produções
CNPJ 07.856.521/0001-94
Caldas Novas, Goiás - Brasil
Instagram: @editoracevi
ceviproducoes@gmail.com

B321p Bassini Filho, Pedro
       O poder do agradecer : o gesto que gera o infinito / Pedro Bassini
Filho. – 1. ed. – Caldas Novas-GO : CEVI, 2020.
       232 p. ; 23 cm.

       ISBN: 978-65-5642-026-4

       1. Gratidão – Aspectos religiosos. 2. Vida e prática cristãs. 3. Deus.
       I. Título.

                                                      CDU: 248

Catalogação na publicação por: Onélia Silva Guimarães CRB-14/071

Marlborough, MA – USA

Este livro traz 50 temas e chaves que abrirão sua consciência, o farão viver o inaudito e entender que seu propósito de vida inclui aprender a ser grato a Deus.

AGRADECIMENTO

Agradeço aos meus pais Pedro e Vany que sempre me amaram, ensinaram princípios e deram exemplo de caráter e amor ao próximo.

Agradeço a minha amada esposa, Fernanda, que me apoiou e incentivou a concluir essa literatura.

Agradeço a Deus pelas lutas e provações que venci para chegar até aqui na força dEle.

Agradeço a Jesus por ter me perdoado, amado e transformado. Agradeço por Ele me dar significado de vida e paz.

Agradeço ao Espírito Santo que tem me capacitado a viver junto ao Pai, amar vidas, aprender o caminho da humildade de Cristo e manifestar o poder do Evangelho do Reino.

Agradeço a todos que terão condições de ler este livro e serem abençoados pela palavra da verdade.

SUMÁRIO

APRESENTAÇÃO

Exposição do livro:

Este livro traz 50 temas que irão:

1. Ascender a sua fé.

2. Te mostrar como você deve ser grato pela vida.

3. Te revelar áreas da sua história que estão desalinhadas.

4. Te conscientizar mais de seus valores.

5. Te fazer ver a importância de uma relação com Deus.

6. Te instruir a orar profeticamente.

7. Te empurrar em direção aos propósitos de Deus.

Cada uma das 50 reflexões contidas neste livro, tem como base seus textos bíblicos. Minha intenção, no entanto, não é expor o contexto original dos mesmos, mas sim levar ao leitor as revelações que recebi de Deus para o assunto ali abordado.

No fim de cada reflexão, você encontrará 4 formas de orar agradecendo a Deus naquele tema.

Você poderá agradecer pelo que já viveu, pelo que está vivendo, e pelo que viverá. Você aprenderá a agradecer "profetizando pela oração" o sobrenatural de Deus no seu "amanhã", na sua família, e todos quantos o Senhor colocar em seu espírito.

Muitas destas orações você deverá fazer "desconsiderando na mente" o que ainda te resta para viver o propósito.

Declarando gratidão a Deus pelo que ainda não ocorreu, você estará se conscientizando de erros, "pronunciando sua fé nEle", sendo ousado e podendo trazer a existência a materialização das palavras liberadas no mundo espiritual.

Você poderá orar usando os agradecimentos, os textos bíblicos e as revelações descritas.

Mas o homem que observa atentamente a lei perfeita, que traz a liberdade, e persevera na prática dessa lei, não esquecendo o que ouviu, mas praticando-o, será feliz naquilo que fizer.

Tiago 1:25 NVI

Antes de começar a ler, sugiro que ore, peça a Deus para que o que foi escrito neste livro para você, encontre lugar de vida em seu espírito. Faça isso com fé, em nome de Jesus e de coração aberto.

Pedro Bassini Filho

INTRODUÇÃO

No ano de 2013, na cidade de Orlando, Flórida, EUA, onde eu vivia, por volta das 23 horas, quando ia me deitar, escutei a voz do Senhor me fazendo uma pergunta:

"Você sabia que você tem que me agradecer muito? "

Eu, ainda um pouco surpreso e assustado, retruquei:

"Sim, eu sei Senhor, mas porque o Senhor está me perguntando isso? "

E Ele me respondeu:

"Porque eu já fiz muitas coisas grandes na sua vida. "

Então, me trouxe à mente o Salmo 126, e soprou-me o versículo:

...grandes coisas fez o Senhor por nós; por isso, estamos alegres".

Salmos 126:3 ARA

Com isso, eu disse:

"Sim, Senhor, com certeza, mas as coisas têm sido tão difíceis para mim nestes dias. "

Imediatamente, ouvi a voz dEle me respondendo:

"É mesmo? Mas agradecer quando tudo vai bem qualquer um agradece, não é? Até quem não me conhece o faz. " – E continuou – "O que foi que deixei escrito na minha palavra? Não é que você deve dar graças por tudo?

E com isso, novamente, Ele me levou às escrituras:

> *Em tudo, dai graças, porque esta é a vontade de Deus em Cristo Jesus para convosco.*
>
> *1Tessalonicenses 5:18 ARA*

Disse ainda:

"Pois aqui está outra razão: porque é bíblico, minha palavra te ensina que quando você sabe ser grato por tudo, está realizando minha vontade, cumprindo uma ordenança e gerando vida em você mesmo. "

Eu perdi o fôlego. Aquela voz era de um efeito inigualável, me envolvia por inteiro e me balançava por dentro.

Então, eu lhe disse:

"Sim, Deus, está escrito que fazendo assim estou cumprindo sua vontade. Me perdoe, tenha misericórdia de mim, de minhas lamúrias e minha minúscula gratidão por tudo. "

Ele então, me perguntou de novo:

"Você sabia que você tem que me agradecer muito? "

Então respondi:

"Sim, Senhor, mas porque o Senhor me pergunta isso outra vez? "

E o Espírito Santo me respondeu:

"Porque eu nunca me atraso, e você tem que saber isso. Eu sempre chego na hora certa, por mais que pareça que não.

Então, me guiou para o evangelho de João:

> *Disse-lhe Jesus: Eu sou a ressurreição e a vida; quem crê em mim, ainda que esteja morto, viverá e todo aquele que vive e crê em mim nunca morrerá.*
>
> *Crês tu isso?*
>
> *João 11:25-26 ARC*

Neste trecho da palavra, depois de fazer esta declaração, Jesus foi até o túmulo de Lázaro, seu amigo que já havia sido sepultado há 4 dias, e o fez reviver.

Deus estava me mostrando que, com Ele, nada nunca é tarde demais. Que Ele não estava no "meu tempo", mas eu e o tempo é que estávamos nEle.

E Ele continuou me fazendo a mesma pergunta:

"Você sabia que você tem que me agradecer muito?"

Depois de eu dizer sim, Deus me levou para o livro de Hebreus:

> *Jesus Cristo, ontem e hoje, é o mesmo e o será para sempre.*
>
> *Hebreus 13:8 ARA*

E disse-me:

"Ainda que tudo mude ou todos mudem, eu nunca vou mudar. Continuarei sempre sendo Deus na sua vida."

Naquela época eu estava enfrentando uma ferida de proporção gigantesca. Era muito doloroso o que eu vivia, não consigo expor o quanto. Porém, ao mesmo tempo em que eu estava sendo confrontado, eu estava amando a experiência. Quanto mais eu ouvia aquela voz, mais minha fé crescia.

E Deus continuava, me fazia aquela pergunta e em seguida me respondia com a palavra. Era demais, me lembro como se fosse hoje. Então, eu falei:

"Deus, está ficando tarde, mas parece que o Senhor tem mais para falar comigo, não é? Vou me levantar da cama, pois tudo isto que o Senhor está me dizendo é muito forte, muito impactante. Eu vou ter que escrever, não posso correr o risco de esquecer toda essa informação.

Já estava escrevendo a quinta ou sexta resposta que Ele me deu, porém antes mesmo de eu continuar anotando, Ele me dava outras. Aquilo fazia meu corpo arrepiar da cabeça aos pés.

Só sei que depois de dez razões, eu já tinha uma folha escrita de cima a baixo. Era hora de descansar, ou pelo menos tentar.

Coloquei aquele papel na cabeceira da cama como um troféu que havia ganhado. Eu precisava dormir, mas não conseguia. Ficava meditando nos conteúdos que haviam sido derramados em meu espírito.

Finalmente, caí no sono. O que aconteceu ao amanhecer, no entanto, foi o mais interessante.

Normalmente coloco meu telefone no modo avião ou o desligo durante a noite, e nesse dia, havia me esquecido de fazer isto, o que também era um propósito de Deus.

Por volta das 6 horas da manhã o celular tocou. Um pouco surpreso, atendi ao telefone:

– Alô, bom dia!

Era uma mulher. Ela me perguntou:

– Pastor Pedro? É o Pastor Pedro quem está falando?

– Sim, sou eu. Com quem estou falando?

– Pastor, meu nome é Simone, eu moro na Holanda. Consegui seu número de telefone com um amigo. Eu preciso que o senhor ore por mim, estou precisando de ajuda. Aqui na região onde eu moro não há igreja nenhuma, não há pastor e nem alguém que possa me ajudar espiritualmente.

É comum que pessoas nos liguem para pedir oração. Porém, ao invés de orar, senti forte no meu coração que deveria ler para essa senhora o que Deus havia falado comigo na noite anterior. Então, eu lhe disse:

– Minha irmã, você sabia que você tem que agradecer muito a Deus?

– Sim, pastor, por quê? Por que o senhor está me dizendo isso?

– Vou te dizer o porque.

Comecei então, a ler cada uma daquelas razões para ela. À medida que eu ia lendo, o clima ficava diferente e Simone ia se emocionando. Porém continuei, com amor, lendo aquelas palavras para ela. Ao terminar de ler, eu lhe disse:

– Essas são dez razões importantes pelas quais você deve agradecer a Deus.

Surpreendentemente, ela me respondeu:

– Pastor, obrigada! Muito obrigada mesmo, de coração! Nem precisa mais orar por mim, já estou muito agradecida.

– Verdade? Que bom! Mas, por quê?

– Porque já ouvi tudo o que eu precisava, já não preciso de mais nada. Deus te abençoe.

Desligamos. Ela ficou de ligar outro dia para uma nova conversa. Fiquei perplexo com tudo. Entendi que Deus não tinha me deixado ir dormir porque, além de mim, alguém do outro lado do mundo iria precisar ouvir o que Ele queria compartilhar.

Vi o quanto Simone foi curada de aflições por aquelas respostas, e com isso, eu estava certo de que outros iriam precisar ouvir as mesmas verdades. Isso ficou como uma espécie de luz acesa na minha cabeça.

Pude vislumbrar um pedacinho do propósito do Senhor comigo, na responsabilidade de transmitir a quem pudesse, o poder do agradecer a Ele.

Assim, comecei a ministrar a mensagem de gratidão a Deus em igrejas, congregações, casas, etc. Eu amava pregar esta mensagem, especialmente na época do dia de ação de Graças, ou Thanksgiving day. Foi, e é maravilhoso assistir o operar do Espírito Santo nas pessoas através desta mensagem de gratidão. Com isso, Deus foi colocando em mim um forte desejo de escrever este livro, e confesso que já venho a um bom tempo sendo impulsionado por Ele para cumprir esta missão.

Quero deixar claro que, com certeza, não estou escrevendo nem 1% das razões pelas quais devemos agradecer a Deus. No entanto, estou aqui servindo uma pequena porção que recebi.

Hoje, eu poderia talvez escrever mais 150 razões que Ele já me deu e eu carrego em esboços.

Capítulo Único

50 TEMAS

1. O AMOR

Deus nos amou antes de todos, nos ama antes de tudo e não depende de nada para nos amar.

Como ninguém nunca nos amou, é como Deus nos ama e amará. Tudo que uma pessoa vive de rejeição do "mundo", de si mesma ou de pessoas, ela pode viver de aceitação em Deus.

Pessoas nos avaliam pela aparência, pelos bens, por nossa posição, pelo que podemos oferecer, ou por um momento. Deus sabe de onde saímos, o que vivemos, quem somos, onde estamos, e para onde Ele está nos conduzindo.

Somos de Deus, "filhos" do *Ágape* (amor divino), qualquer obra contrária a "recepção" desse bendito amor pode levar um indivíduo a "morte".

Só conseguiremos amar de verdade o nosso próximo com o perfeito amor de Deus, pois o nosso "jeito de amar" é falho demais. Na cruz, Jesus demonstrou a essência do amor e do amar do Pai, Ele se entregou por nós.

Aquele que não ama, não conhece a Deus, porque Deus é amor.

1 João 4:8 ARC

Porque Deus amou ao mundo de tal maneira que deu o seu Filho unigênito, para que todo o que nele crê não pereça, mas tenha a vida eterna.

João 3:16 ARA

Deus nos ama infinitamente, e quer que nos amemos assim também. Claro que não me refiro ao eu, ou ao ego, mas ao ato de sabermos valorizar quem somos ou quem podemos nos tornar, sendo aceitos por este amor sem fim.

Quantas vezes Ele nos manifestou provas de seu amor?

Quantas vezes vacilamos e ainda assim Ele cuidou de nós?

Quantas vezes nos recolocou na rota da vida, fortaleceu e ajudou?

Se alguém não acredita em Deus ou em tudo isso, então fica uma pergunta:

É mais fácil acreditar que "nada" criou tudo e tudo veio do nada, ou acreditar que um Deus supremo criou e sustenta todas as coisas?

O que teria mais sentido?

A bíblia diz que Deus é amor, que seu amor nos constrange, e é tão grandioso que se faz maior do que a justiça que merecíamos.

O amor de Deus é incondicional, mas a "relação" dEle com o homem é condicional.

Apesar de seu amor ser repleto de misericórdia, isso não significa que Ele aprova o que já deixou escrito que reprova, e no fundo, todos nós sabemos disso.

Seu amor não garante nossas vontades, mas sim o perfeito que Ele sabe fazer.

Em algumas ocasiões, Deus parece que sai de cena para nos provar e testar nosso pacto com Ele. Essa ação de aparente descaso, é na verdade Ele nos chamando para a oração e novos "experimentos" de seu amor. É mais ou menos quando o Pai ensina o filho a dirigir e depois dá a direção para ele. Detalhe: quando o filho está habilitado e dirige com segurança, passa a sair sozinho e ganha seu próprio carro.

As experiências no volante da vida nos ensinam muitas coisas. Precisamos descobrir o quanto Deus nos ama de verdade. Ele nos ama nos acertos e nos erros, não nos ama pelo que fazemos ou deixamos de fazer, mas por quem somos: seus filhos. Nada pode mudar a verdade e o poder de sua paternidade.

Nossas atitudes de desobediência a Deus não alteram o amor dEle para conosco, mas afetam completamente os resultados de vida abundante que Ele promete para quem é fiel.

Deus nos quer dentro do seu propósito, cercados da sua voz, do seu toque, sua direção e seu amor legítimos. Quanto mais juntos dEle, mais pleno seremos e mais testemunharemos. Se Deus é amor, quem tem a Deus precisa ter o que Ele é. Somos a imagem dEle para amar sabendo que somos amados por Ele.

AGRADEÇA

1.   Agradeça porque Deus sempre te amou e te ama.

2.   Agradeça pelas inúmeras vezes que já te provou isso.

3.   Agradeça porque você pode substituir toda rejeição pelo amor de Deus, seja para com você mesmo ou alguém.

4.   Agradeça crendo que: o poder do amor de Deus para te abençoar é maior que qualquer coisa contrária a isso.

2. O DONO

Ele é o autor do ser, daquilo que sonhamos e das soluções que aguardamos. Ele é o dono dos que existem, do que existe, e do que virá a existir.

Deus é dono da raça humana e cada espaço do universo. Assim como Ele dirige os céus e a terra, Ele comanda as realizações de nossos dias, meses, anos e estações. Quanto mais valorizamos isso e andamos em sintonia com Ele, mais somos amparados pelo seu governo e vivemos o ideal.

Deus não impede ninguém de rejeitar a verdade eterna do seu senhorio, apenas deixa de ser responsável por escolhas que fazemos sem a direção dEle.

Do Senhor é a terra e a sua plenitude, o mundo e aqueles que nele habitam.

Salmos 24:1 ARC

Tua é, *Senhor*, a magnificência, e o poder, e a honra, e a vitória, e a majestade;

porque teu é tudo quanto há nos céus e na terra...

1 Crônicas 29:11

Não estamos apenas "plantados" no universo. É importante termos consciência disso, o mesmo Deus que tudo criou, nos gerou com um programa de vida nEle.

Não somos um projeto ou desenho no papel, somos planejamentos vivos, arquitetados, construídos e decorados pelo rei da glória.

Por que nos desvalorizarmos se Ele tanto nos valorizou? Por que não enxergamos em nós mesmos o que Ele enxerga e tanto tenta nos mostrar? Será que Ele estaria errado quando nos fez?

O "homem" não pode se contentar em viver por viver, isso é desastroso. Ele precisa descobrir seu propósito de vida e para que ele foi criado. Neste exato momento, um grande projeto de Deus está armado para que nos alinhemos a Ele. Você crê? Você aceitaria arriscar algo diferente com Deus e em Deus? Ou você vai ficar na velha vidinha tomada pelo medo de errar e pelo comodismo? Avançar não é fácil porque isso nos tira da zona de conforto.

O governo das nossas vidas precisa estar nas mãos de Deus para o cumprimento de suas obras sobrenaturais. Isso é claro, somado com o nosso agir.

Reconhecer o senhorio de Deus é mais que um credo, é um ato inteligente. Se não concordamos com o poder do seu reino, caminhamos em direção contrária à vida e a tudo.

Andar com Deus é andar a "favor do vento" com o privilégio de viver a proteção do céu.

Que sentido haveria em contendermos com quem tudo pode por nós, e também detém os recursos que nos podem fazer prósperos e felizes de verdade?

O melhor da vida só se é possível com Deus. Somos dEle, como tudo é dEle. Quando andamos nEle sua força vem. Com Ele não existem limites ou barreiras que não possamos superar.

AGRADEÇA

1.   Agradeça por saber que seu espaço atual e as terras com as quais você sonha, pertencem a Deus.

2.   Agradeça reconhecendo que você está aqui enviado por Ele.

3.   Agradeça por poder deixá-lo ser seu Senhor, o dono de sua vida.

4.   Agradeça porque Ele tem projetos específicos para você e sua casa.

3. A VIDA

Nele está o dom da vida. Ele nos tira das mãos do "ladrão destruidor" para nos dar a soma e multiplicação absoluta da vida abundante.

O Senhor pode nos arrancar de qualquer caminho desordenado.

As "sujeiras" de ambientes contaminados por incredulidade podem, com muita facilidade, poluir nosso entendimento, visão e fé. Precisamos estar atentos às mentiras que, com sutilidade, vem querer nos infectar. Pessoas com más intenções e direcionadas pelo mal, podem ser como mosquitos que picam nossas convicções e vampiros que sugam nossas "energias".

O mundo está tomado por maldades e absurdos, a impressão é que tudo parece normal quando de fato já saiu da "normalidade" há muito tempo.

Parece que o ser humano tem sido levado a viver o errado por falta do certo. Pessoas estão sem vida por buscarem qualquer tipo de vida. Aceitam tudo e acabam ficando sem nada, vivendo sem Deus e sem o que Ele tem para oferecer de melhor, a vida.

O ladrão não vem senão a roubar, a matar e a destruir; eu vim para que tenham vida e a tenham com abundância.

João 10:10 ARC

"A bênção do Senhor traz riqueza, e não inclui dor alguma".

Provérbios 10:22 NVI

É bom lembrar que: quem rouba, rouba escondido, e quem é roubado só descobre depois.

As forças da maldade têm tragado a muitos que parecem não se importar mais consigo mesmo e com a vida de rebeldias que levam.

O inimigo tem tomado vários territórios, principalmente no que diz respeito à mente humana. A televisão, os jogos, os filmes e o mal-uso da internet, sozinhos já fazem bastante isso.

No meio de nuvens de dúvidas, confusões e incertezas, as pessoas parecem ter perdido o poder de raciocinar e escolher viver certo. Muitos se perderam e não tem mais conseguido se encontrar, a criatura precisa se voltar para o criador.

O homem tem consumido lixo tóxico em doses múltiplas, sem nem mesmo analisar as consequências do que consome. A ignorância parece ser a parceira de quarto de grande parte da população mundial. Muitos pais de família perderam o bom senso, a direção de suas casas e seus filhos.

Uma porta errada e uma caminhada de dispersão, podem levar uma pessoa a um fim devastador. O problema é que o errado vem com carinha de normal, e o mal vem com cara de bom.   Também, nem tudo que é bom para um, é bom para o outro. Deus gerou indivíduos com missões individuais.

O ladrão está solto, ele é sagaz, suas aparências enganam. Rejeitar o que vem sem a paz de Deus é primordial.

As pessoas desligadas da verdade estão cada vez mais se aprofundando nos sabores da mentira e do pecado servidos nas "mesas da ilusão".

Viver com Deus é viver o contrário de ser roubado, é viver em soma e multiplicação. É viver o contrário de morte, é viver em abundância. É o oposto à destruição, é construção e reconstrução o tempo todo. Pare, pense e responda para você mesmo: o que você está vivendo hoje? Até quando vai aceitar viver o mesmo tipo de vida?

Jesus veio para nos trazer de volta a vida original que saiu dEle, seu sacrifício devolveu ao homem o dom da vida e a autoridade para governá-la.   Nossos pecados foram pagos por Ele no madeiro. Recebemos o direito à vida eterna.

Pela graça, podemos ser salvos e viver a vida abundante que Deus nos oferece em Cristo.

AGRADEÇA

1.   Agradeça pelo que não te foi roubado.

2.   Agradeça porque seus tombos e prejuízos poderiam ter sido piores, poderiam ter custado sua própria vida.

3.   Agradeça pelo que Jesus te fará somar e multiplicar na matemática dEle.

4.   Agradeça por poder doar vida para aqueles que tiveram suas vidas furtadas pelo ladrão.

4. O SOCORRO

Ele já nos resgatou de inúmeras derrotas. Ele tem sido o sustentáculo absoluto da caminhada e a ponte que nos traz o reviver.

Ao olharmos para trás, veremos como Deus nos capacitou a percorrer a longa estrada até aqui. Ele nos livrou de armadilhas, males, buracos, dívidas, confusões e embaraços que nos metemos.

Quantas vezes nos associamos e/ou fizemos "alianças" com pessoas que Ele nunca nos instruiu a fazer? Quantas vezes adquirimos coisas que Ele nunca nos direcionou a obter? Quantas vezes nos enfiamos no que nos pareceu atraente, mas era problema?

Provavelmente, não poderíamos contar quantas vezes isso já aconteceu e fomos socorridos por Deus. Se chegamos onde estamos, é por Ele, e se ainda estamos aqui, é por causa dEle, isso é inegável.

Fui moço e já, agora, sou velho, porém jamais vi o justo desamparado, nem a sua descendência a mendigar o pão.

Salmos 37:25 ARA

Muitas são as aflições do justo, mas o Senhor o livra de todas.

Salmos 34:19 ARC

Não conseguiríamos jamais descrever ou colocar em pauta as grandezas e maravilhas que Deus fez e tem feito por nós. A conduta dEle é sempre recheada de compaixão, graça, misericórdia e bondade. Há coisas que ainda neste momento Ele está fazendo, e não estamos conseguindo ver somente com nossos olhos. Precisamos crer nisso, foi isso que Ele fez lá atrás, e é isso que Ele continua fazendo.

Agradecermos por isso é uma coisa, nos acomodarmos nisso é outra coisa bem diferente. Temos que dar passos em direção ao que Ele está falando e fazendo, ainda que aparentemente as coisas estejam duras e diferentes.

Tudo se move pela fé e pela ação. Andar fora deste trilho é tempo perdido, é recurso e energia indo para o lixo.

Deus nos instrui no presente para que ampliemos nossas tendas para o futuro.

É difícil acompanhar as obras do criador, mas Ele cria circunstâncias, portais, momentos, encontros e movimentos, tudo para fazer seus filhos acreditarem, agirem e prosperarem.

Não estou aqui me referindo a bens materiais apenas, pois é importante que haja mais do que isso. Estou falando de bem-estar geral: corpo, mente, família, finanças, resultados etc.

É preciso vida no verdadeiro sentido da palavra. É preciso termos uma relação saudável com o nosso eu, com as pessoas, com Deus e com a vida. Qualquer relacionamento saudável é bilateral. Um filho grato reconhece o poder da bênção de seu pai.

Não é justo Deus fazer tudo por nós e fazermos tão pouco "com" Ele.

Quanto mais junto a Ele nos posicionarmos, mais Ele se manifestará, mais fluiremos, mais gratos seremos e mais testemunhos teremos.

AGRADEÇA

1.   Agradeça pelas inúmeras vezes que você já foi socorrido.

2.   Agradeça pelos socorros que o Senhor pode enviar a sua vida hoje.

3.   Agradeça marchando sem parar ao encontro do que te foi prometido.

4.   Agradeça pelo seu poder de superação e por poder mostrar isso ao mundo.

5. O MAIS

Ele surpreende nossas intenções e petições, Ele supera nossos pensamentos e executa o inimaginável.

Já se perguntou como conseguiu conquistar o que já alcançou?

Consegue mesmo responder?

Apesar de seus esforços, consegue acreditar que foi sem a ajuda ou bênçãos de Deus?

Deus é macro em tudo que faz, seja a tempo ou fora de tempo.

Deus não existe, Ele simplesmente é. Ele habita em nós, por isso nosso potencial nEle é desconhecido.

Digo com certeza que: Somos mais do que pensamos ou achamos que podemos. Somos mais do que nos disseram que éramos e, certamente podemos fazer muito mais do que já fizemos.

Ora, àquele que é poderoso para fazer tudo muito mais abundantemente além daquilo que pedimos ou pensamos, segundo o poder que em nós opera, a essa glória na igreja, por Jesus Cristo, em todas as gerações, para todo o sempre. Amém!

Efésios 3:20-21 ARC

Jesus lhes respondeu: Não vem o reino de Deus com visível aparência. Nem dirão: Ei-lo aqui! Ou: Lá está! Porque o reino de Deus está dentro de vós.

Lucas 17:20-21 ARA

O poder de Deus é infinito, seu "dicionário" não contém a palavra "limites", assim como não contém várias outras que fazemos questão de mencionar na nossa "santa incredulidade".

É desejo de Deus soprar suas bênçãos sobre seus filhos.

Você crê nEle? Confia nEle? E Ele? Pode confiar em você? Pode confiar na sua conduta de fé, obediência e ação?

Uma vida com Deus é uma vida diferente, é uma vida conjunta com o que é dEle. Tudo é muito além de fronteiras naturais.

Nem tudo que é da terra tem comunhão com o que é do céu, nem tudo que é do céu tem encontrado lugar na terra, mas, tudo que está na terra veio do céu. É preciso que realizemos as obras do céu aqui na terra. Por que nos limitarmos tanto se carregamos em nós a essência da criação?

Que legado de fé estamos deixando para a próxima geração?

Temos despertado amor e fome por Deus e pelas maravilhas do céu nos nossos filhos? Ou nos tornamos robôs do sistema religioso que mal consegue expressar Deus? Que tipo de cristão nos tornamos? Somos parecidos com os membros de uma determinada denominação ou somos parecidos com Jesus?

O reino de Deus é sobrenatural, sua igreja é seu "instrumento de poder."

Imagine o que pode vir dEle se nos posicionarmos de verdade nEle. Deus faz coisas lindas e inexplicáveis, mas tudo começa em nós.

Estamos aqui comissionados por Ele, somos seus templos, operadores da fé na terra. Somos os provocadores de milagres.

Precisamos ouví-lo para aplicar seus interesses aqui.

Devemos esperar o inesperado, e viver no espírito a expectativa de moveres espetaculares que surgem nos "relâmpagos" de Deus.

O que fazer com os dons que nos foram emprestados e os talentos que nos foram confiados?

Esse é o poder que temos que compartilhar e colocar para fora, o poder de acreditar em quem somos em Deus e influenciar vidas levando-as ao Senhor e aos seus propósitos.

A terra precisa ver as manifestações do Reino. Parece um sonho para muitos, mas não é, é o sonho de Deus. A glória será para Ele. É tempo de cumprirmos o papel da igreja que transmite a majestade e o poder do Cristo vivo em nós.

AGRADEÇA

1.   Agradeça confessando que Deus é poderoso para realizar mais.

2.   Agradeça crendo que as respostas dEle irão superar o que você pediu ou imaginou.

3.   Agradeça por você poder ser "membro do corpo" que o glorifica.

4.   Agradeça sendo capacitado para realizar desde o seu interior as manifestações do Reino dEle.

6. A RECONCILIAÇÃO

Deus quer nos levar de novo ao "Jardim", lugar da primeira comunhão, onde o homem tinha qualidade de vida e conversava com Ele todos os dias.

Nosso tempo tem sido extremamente roubado e desperdiçado, as coisas e prazeres deste mundo tem nos prendido em inúmeros caminhos de distração. O ser humano precisa abrir os olhos e despertar para a realidade.

Deus arranca o homem de caminhos de pecados e prisões para reconciliá-lo com Ele. A oração é este lugar de restauração e comunhão. É quando nos abrimos, damos do que temos, e recebemos o que não temos. Não é a religião que renova a vida de alguém, e sim a relação com Jesus, com a palavra e com o Espírito Santo.

Cada um vive no Senhor a intensidade que quer, mas as alterações nos resultados dessa comunhão são de responsabilidade própria.

Devemos valorizar mais a graça que nos foi dada e os erros que não nos foram imputados. Não há desculpas, devemos nos apegar ao pai como fez "o filho."

> *E tudo isso provém de Deus, que nos reconciliou consigo mesmo por Jesus Cristo e nos deu o ministério da reconciliação, isto é, Deus estava em Cristo reconciliando consigo o mundo, não lhes imputando os seus pecados e pôs em nós a palavra da reconciliação.*
>
> *2 Coríntios 5:18-19 AR*

> *Eu os trarei de volta para que habitem em Jerusalém; serão meu povo e eu serei o Deus deles....*
>
> *Zacarias 8:8*

Deus nos deu o ministério da reconciliação, somos sua casa, lugar de habitação dEle e da palavra da verdade.

É necessário vivermos em santificação para preservarmos sua presença. Nela somos limpos, lavados, purificados, recondicionados, redimidos etc. Quando deixamos o Senhor nos tocar, Ele nos cura, prepara, molda e aprova para o exercício do chamado.

Quantos estão gemendo ao nosso redor sem forças para se reconciliar? Só quem já andou em lugares de escuridão e perdição sabe como é podre, doloroso e horrível esse caminho, são cadeias poderosas que parecem não ter fim.

Jesus veio e nos deu autoridade para romper e destruir cada uma delas. Muitos, todavia parecem não querer se libertar, ou preferem não admitir seu estado de calamidade.

Ninguém foi criado para viver derrotado, Deus nos fez mais que vencedores pelo reino de seu amor.

Nunca é tarde para alguém se reencontrar com as verdades que lhe são ofertadas.

É tempo de nos abraçarmos com Jesus e aceitarmos ser reconectados aos propósitos do pai. É hoje, é agora, só depende de nós.

Nossa consciência (nosso espírito) nos sinaliza, ela é o jardim aonde Deus vem falar conosco todos os dias, como fazia com Adão.

Nada como estarmos no lugar que Deus espera que estejamos, nada como fazermos o que fomos chamados para fazer.

Nada como conduzirmos a vida de alguém para a luz do Evangelho. Nada como caminharmos reconciliados com Deus em Cristo, esse é o maior de todos os ministérios.

AGRADEÇA

1.   Agradeça pelos pecados que não te foram imputados.

2.   Agradeça por poder se reconciliar consigo mesmo.

3.   Agradeça por poder se reconciliar com Deus e seus propósitos.

4.   Agradeça por poder renovar sua vida e renovar a vida de outros pelo ministério que te foi dado.

7. A IMUTABILIDADE

O mundo dá voltas, as coisas mudam, as pessoas mudam, mas Deus nunca mudou e nem mudará.

Ainda que feridas da nossa história nos deixem marcas, a vida continua, Deus continua sendo poderoso para nos recolocar na rota e impulsionar ao novo que Ele prepara.

Mudamos de endereço e Deus estará ali, mudamos de trabalho e Ele estará ali, só não podemos nos mudar para longe dEle e de seus planos. Nesse lugar distante, não há paz nem plenitude de vida.

Viver em Deus é viver seguro, é viver num "lugar celestial" que governa e protege nossas vidas.

O Cristo que ressuscitou continua vivo, Ele não mudou. Ele nos deixou o exemplo de que jamais devemos mudar nossa relação com Ele.

Jesus Cristo é o mesmo ontem e hoje, e eternamente.

Hebreus 13:8 ARC

Porque eu, o Senhor, não mudo; por isso, vós, ó filhos de Jacó, não sois consumidos. Desde os dias de vossos pais, vos desviastes dos meus estatutos e não os guardastes; tornai-vos para mim, e eu me tornarei para vós outros, diz o Senhor dos Exércitos;...

Malaquias 3:6,7 ARA

Mesmo quando mudanças de todos os tipos nos atingem, o Senhor permanece o mesmo.

Se fomos nós que nos afastamos, então precisamos reconhecer onde estamos e voltar. Nosso lugar está reservado, nossa cadeira carrega o nosso nome, e nosso maior banquete está na mesa do pai.

Nenhuma comunhão com Ele é demais para que não possa crescer. Afinal, normalmente é assim: Somos nós que mudamos e depois queremos entender o que está acontecendo. Nos movemos do lugar original para buscar interesses próprios e depois, afastados dali, ficamos vazios e fazendo aos céus perguntas vãs.

A instabilidade espiritual precisará dar lugar a raízes de temor e fidelidade que nos manterão reestruturados.

Deus permite algumas coisas darem errado para que enxerguemos nossas fragilidades, podendo não somente mudar para melhor, mas nos deixar ser transformados em vitoriosos.

Quando tudo muda e fica diferente, Ele não muda. Quando pessoas se vão de nossas vidas, Ele fica no mesmo lugar, junto a nós.

Nada deve apagar nossa relação com o Espírito Santo. Quanto mais próximos estivermos "daí", mais forte seremos, quanto mais caminhamos com Ele, mais atraímos vida e podemos acelerar o "carro."

Nossos erros e imprudências querem nos ensinar coisas preciosíssimas, nossa comunhão com Deus, no entanto, é a maior de todas Elas.

A revelação da pessoa de Deus está na verdade, está em Jesus, a conexão com o impossível. É por Ele que tudo se reinicia e o novo permanece aparecendo.

A dor da alma pela perda de pessoas, posições e bens, um dia terá que acabar. A roda vira, o mundo gira, precisamos ir avante a qualquer custo.

Na vida, coisas vão e coisas vêm. Pessoas se vão e pessoas novas vêm.

Deus não mudou, nunca nos deixou e nem deixará. Contar com Ele é contar com sua verdade eterna e imutável no nosso "homem" interior.

AGRADEÇA

1.   Agradeça pelo que precisou mudar.

2.   Agradeça pelo que está em processo de mudança pelas mãos de Deus.

3.   Agradeça por aquilo que Ele ainda permitirá mudar para o seu bem.

4.   Agradeça por estar consciente que Deus não mudou nem mudará, entenda que você não poderá mudá-lo, mas Ele pode te mudar.

8. O QUEBRA-CABEÇAS

Nossa vida é como um grande jogo projetado e montado com carinho e amor pelas mãos de Deus.

É difícil entender as regras e "peças" do jogo que Ele articula nas "jogadas". Ele posiciona o que quer e como quer: move e remove partes e "participantes do jogo nas suas "ondas" e movimentos celestiais. Como Senhor, Ele tem tudo do "jogo" pré-definido. Cada um dos jogadores foram pré-selecionados nEle e selados por Ele para poder vencer, basta "jogar com Ele" e não desistir.

Ele é o dono do jogo da vida, e tudo que parece desmanchado em pedacinhos, Ele pode remontar em minutos como num jogo de quebra-cabeças. Pode unir em um dia as partes que estavam longe há anos, pode com uma pecinha que faltava, dar a vitória completa para "seu escolhido do jogo."

Sabemos que todas as coisas cooperam para o bem daqueles que amam a Deus, daqueles que são chamados segundo o seu propósito.

Romanos 8:28 ARA

Assim como tu não sabes qual o caminho do vento, nem como se formam os ossos no ventre da mulher grávida, assim também não sabes as obras de Deus, que faz todas as coisas.

Eclesiastes 11:5 ARA

Todas as coisas vêm de Deus, todas as coisas somam Deus e no fim, vão dar em Deus.

Ninguém jamais poderá definir o tamanho de Deus, Ele é maior que toda criação junta. Ele não tem tamanho porque Ele é tudo.

Seria impossível acompanhar seus movimentos e suas obras, ninguém consegue em plenitude entender seu agir ou operar. É muito mais fácil aceitar o seu mover do que, de alguma forma, tentar resistir aos seus comandos. Quem tem vida com o Senhor sabe que Ele é mestre em surpreender. O seu manejar divino é indescritível, Ele pode fazer as coisas pelo avesso ou de cabeça para baixo, isso sem ter que explicar nada para ninguém. Ele não age seguindo os "jogos do homem", ao contrário, ele os governa, mesmo que despercebidamente.

Pelo seu propósito na vida de alguém ele pode mudar absolutamente tudo: Ele passa por cima da medicina, voa sobre as nações, estabelece novas sentenças, bate o martelo do juiz, revela novos tesouros, muda o que o homem escreveu, abre portas onde não existem, etc. Segundo a natureza de suas operações, seu agir pode ser bem além do humano e natural. O importante é estar firme nEle e saber esperar o trabalhar de suas mãos.

Quando Deus toca no nosso "jogo", Ele mexe as peças e vai montando o quebra cabeça. Ele termina de unir os pedaços e, de uma forma linda, revela a imagem do propósito que Ele tinha na eternidade.

Ele é incrível, faz o que a princípio não conseguimos entender, mas depois revela a foto que tinha tirado nEle mesmo desde antes da fundação do mundo.

AGRADEÇA

1.   Agradeça sabendo que Deus controla o jogo da vida como Ele quer.

2.   Agradeça pelo que Ele mexeu, permitiu partir e fez unir.

3.   Agradeça confiando que Ele está montando o quebra cabeça da sua história e todos serão capazes de ver isso.

4.   Agradeça porque nos dias vindouros Ele revelará a imagem da foto original que tirou do seu propósito ainda antes de você ser gerado.

9. O IMPOSSÍVEL

Para Deus o difícil não existe e nosso impossível já está solucionado. Ele não precisa da ajuda de outros, mas pode usar qualquer dos seus para nos beneficiar.

Não há nada que Deus não possa fazer, Ele é especialista em fazer o que nunca foi feito por ninguém. Ele fabrica o que não existe fazendo passar a existir, para que o "mundo" saiba que Ele é o Senhor de todas as obras.

Ele cria novas leis, muda estações, inverte causas, muda corações, restaura relacionamentos, purifica familiares e famílias, limpa uma cidade, cura uma nação, provê sustento e proteção para multidões, cria novos órgãos, faz doenças desaparecerem e tudo mais que não se pode descrever. Como?

A vontade de Deus é tão soberana como seu Poder.

Deus quer usar seus filhos e sua igreja para o cumprimento de suas façanhas e maravilhas na terra, e nós devemos estar dispostos a isso.

Porque para Deus nada é impossível.

Lucas 1:37 ARC

Nada é difícil demais para ti.

Jeremias 32:17 NVI

Parece difícil acreditar que alguém confia 100% em Deus, uma vez que, confiar em Deus assim é como confiar no impossível. A bíblia, no entanto, diz que o justo "viverá" da fé, se moverá e perseverará com confiança nela. Andar nesta fé, pode ser andar na absoluta contramão da lógica, crer naquilo que pode não ter sentido para muitos, mas tem sentido para Deus e para você.

O "mundo" é cheio de testemunho de pessoas que viveram milagres. Porque então, não crer em mais um? O que parece impossível na vida de alguém, se torna possível quando Deus age em favor deste.   O governo dEle é supremo. Ele, do nada, cria tudo e faz o mal virar nada.

Até que ponto cremos nEle? Quanto nós realmente esperamos disso tudo que cremos? Qual seria o nosso nível de fé?

Cremos só para nós mesmos, ou quando cremos pensamos nos outros também?

Precisamos depositar fé nas orações que fizemos, fazemos e faremos. Deus não é surdo e nem injusto. Precisamos saber esperar o tempo do cumprir sabendo que fomos ouvidos pelo Pai. Isso vai nos fazer ver o que nunca foi visto antes. Lembremos que a realidade do homem não é a realidade divina, Deus pode tudo porque tudo é gerado nEle.

A maioria dos homens vive na fé de seus recursos, posições ou momentos, quando na verdade tudo passa, só Deus não.

Deus se move pela sua pessoa e pela excelência em cumprir propósitos aparentemente impossíveis, mas que Ele projetou desde antes de tudo.

Quem pode conseguir explicar Deus e o que Ele faz?

Deus não se explica, se aceita, se obedece, se confia, se ama, se crê e se espera nEle.

AGRADEÇA

1.   Agradeça entendendo que Deus não é limitado como você e outros.

2.   Agradeça crendo que para Ele o impossível é apenas mais uma opção disponível.

3.   Agradeça aceitando o inexplicável. Ele pode quebrar todas as regras da naturalidade para operar um milagre na sua vida.

4.   Agradeça apresentando para outros o Deus do impossível.

10. A FIDELIDADE

Deus expõe e disponibiliza sua fidelidade a todos, independentemente do desprezo ou falta de consciência de muitos, Ele permanece fiel.

Ele é quem mais compreende o homem. Ele o recebe independentemente da condição que ele esteja, seja confuso, podre, perdido, oprimido, sujo, fraco, desesperado, quebrado, abatido, arrependido, amargurado, doente, sem visão, amedrontado, rejeitado, sem amor por si mesmo, sem sonhos etc. Ele está sempre pronto para socorrer, abraçar, libertar, salvar, amar e transformar.

Diariamente Ele aguarda o "contato" de seus filhos, e ainda tenta de alguma forma se comunicar com estes.

A infidelidade de alguém não afeta em nada a fidelidade de Deus, como também nunca deve afetar nossa fidelidade a Ele. A fidelidade do homem é completamente limitada, por isso falha. A de Deus é sem fim e repleta de amor. Infelizmente muitas pessoas estão cegas, não conseguem enxergar as verdades e grandezas desta fidelidade.

> *... se formos infiéis, Ele permanece fiel; não pode negar-se a si mesmo.*
>
> *2Timóteo 2:13 ARC*

> *Saberás, pois, que o Senhor, teu Deus, é Deus, o Deus fiel, que guarda a aliança e a misericórdia até mil gerações aos que o amam e cumprem os seus mandamentos;*
>
> *Deuteronômio 7:9 ARA*

Muitos podem nos virar as costas, nos abandonar ou nos deixar de lado, Deus nunca faz isto. A fidelidade dEle é uma das bases de seu trono.

A infidelidade de uma pessoa para com as nossas vidas ou com Deus não pode ser razão para que nos deixemos "morrer". A "vítima" precisa se curar dessa injustiça, precisa se levantar, reagir e ir ao encontro daquele que é fiel. Como na cruz, seus braços estão sempre abertos para nos receber.

Deus também não tem prazer na perdição de ninguém, sua graça e misericórdia é para todos.

Deus é o pai do filho pródigo que aguardava a volta do filho perdido. Quando se afastou da "casa" do pai, e da "pessoa" dele, o filho estava deixando para trás tudo que de melhor possuía. Quando tomou a decisão de voltar ele pôde desfrutar da fidelidade do pai e reviveu. Nosso lugar de filho é na casa do Pai, junto do pai, protegido, sustentado e abençoado por Ele. Só ali está o pão da vida e o sustento verdadeiro.

Deus não volta atrás no seu amor, seu amor é irrevogável.

Quantos, por causa da infidelidade de pessoas, fugiram da fidelidade de Deus? Ninguém pode culpar a Deus por coisas que alguém fez, isso é sem sentido.

Viver um passado de feridas e dores pode nos tirar de Deus e de um futuro brilhante. A fidelidade é um dos frutos do Espírito de Deus. Que hoje possamos abandonar os "achismos" do nosso coração e correr de encontro às riquezas dela.

O Senhor é fiel em todo tempo e nunca nos abandona, reconheça esta fidelidade e seja fiel também. Honre-o com sua devoção e sua gratidão.

AGRADEÇA

1.   Agradeça admitindo que Deus foi fiel a você e será.

2.   Agradeça porque a fidelidade dEle é infinitamente maior que a infidelidade daqueles que traíram sua confiança.

3.   Agradeça deixando Ele fazer de sua vida um exemplo de fidelidade.

4.   Agradeça por poder ser fiel a você mesmo, a sua família, a sociedade, a igreja, a Deus e a seu propósito.

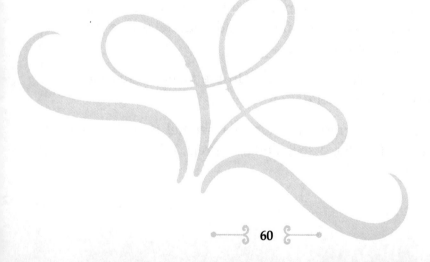

11. O PREPARO

Quando nos deixamos ser instruídos e ministrados por Ele, somos capacitados a passar melhor pelos altos e baixos.

Existe diferença entre um Deus que a religião oferece de longe, e o Deus que vive em nós, nos conhece e ajuda de perto.

Sua "morada" em nosso interior, e nossos encontros no lugar secreto com Ele, trazem o diferencial de sabedoria, paz, autoridade, amor, consolo e poder. É assim que suportamos e enfrentamos as maiores instabilidades.

O agir Dele pode ser surpreendente, só precisamos fazer nossa parte sabendo confiar, obedecer e esperar. Seja no pouco, ou no muito, seja com poucos colaboradores ou com muitos, é Ele quem distribui as munições para o propósito e nos instrui a como usá-las nos processos de "relevos diferenciados".

Sei estar abatido e sei também ter abundância; em toda a maneira e em todas as coisas, estou instruído, tanto a ter fartura como a ter fome, tanto a abundância como a padecer necessidades. Posso todas as coisas naquele que me fortalece.

Filipenses 4:12-13 ARC

Disse-lhe o Senhor: Muito bem, servo bom e fiel; foste fiel no pouco, sobre o muito te colocarei; entra no gozo do teu senhor.

Mateus 25:21 ARA

Parece difícil alguém dizer que pode tudo, mas qualquer coisa fica fácil através daquele que tudo pode. As experiências duras nos dão maturidade. Quando somos instruídos em Deus vencemos dores, crises, escassez e dificuldades.

Ele nos prepara nos vales para nos entregar vitórias nos montes. O tempo de fartura também precisa ser bem administrado, pode ser mais fácil nos perdermos da presença de Deus na abundância do que na escassez.

Uma falha significativa ou influência errada pode nos falir ou detonar novas conquistas.

A dependência ao Senhor é uma coisa linda, mas, viver pela fé não é para todos. Muitos abandonaram seus barcos no meio das tempestades, justamente quando Deus iria operar um milagre, que triste!

É também dos lugares de surpresas que nascem os grandes amigos, os novos companheiros e as novas ideias. É dali que vem as novas emoções, maiores capacitações e poderosas lições.

É sabendo guardar nossa vida em Deus tanto no tempo do pouco quanto do muito, que o universo libera nossas aprovações e promoções. Não estou dizendo que seja fácil, mas que é real e podemos gerar isso.

Deus nos levanta "invisivelmente" à medida que nos fazemos mais humildes para aprender por meio das experiências. Vencemos obstáculos maiores pelo testemunho do seu poder. Agradecer e testemunhar vitórias reacende brasas de fogo em nós e nos outros.

Quando somos gratos no pouco, Ele nos dá o muito. Quando o reconhecemos no muito, Ele nos dá ainda mais. Quanto mais Ele nos dá, mais devemos compartilhar e favorecer a outros.

AGRADEÇA

1.   Agradeça pelas lições que a vida tem te dado.

2.   Agradeça pelo pouco, pelo muito, pelas provas enfrentadas e pelas vitórias conquistadas.

3.   Agradeça crendo que você pode todas as coisas pelo Cristo que te fortalece.

4.   Agradeça por ser instruído a vencer e poder instruir outros que o Senhor colocar em seus caminhos.

12. A MURMURAÇÃO

Quando não somos gratos a Deus, corremos o risco de nos tornarmos murmuradores, darmos lugar ao inimigo, e sofrermos perdas maiores.

Murmurar é não reconhecer as obras que Deus fez, faz e fará. É não ver Deus nas pequenas coisas.

Quantos foram os livramentos que Ele já nos deu?

Quantos são os livramentos que Ele está nos dando agora?

Quantas são as suas formas de provisão em nosso favor?

Quantas vezes Ele usou pessoas para nos estender a mão?

Quantas vezes fomos respondidos por Ele?

Quando foi a última vez que paramos para lembrar de onde saímos e onde Ele nos colocou?

Quando foi que tiramos um dia sequer de nossa agenda só para agradecer e bendizer a Deus?

Quando foi que paramos um fim de semana inteiro com um único propósito de celebrar a vida e as bondades de Deus?

Quando foi a última vez que paramos para fazer perguntas assim, se é que as fazemos? É feio né? Eu sei que é. É pobre essa nossa miserável ingratidão e cegueira.

Espero que passemos neste pequeno teste, senão hoje, pelo menos "amanhã" depois desta reflexão.

Vivemos literalmente pelos múltiplos benefícios de Deus, no mínimo precisamos reconhecer isto e parar de murmurar.

> *E não murmureis, como também alguns deles murmuraram e pereceram pelo destruidor.*
>
> *1Coríntios 10:10 ARC*

> *Fazei todas as coisas sem murmurações nem contendas; para que sejais irrepreensíveis e sinceros, filhos de Deus inculpáveis no meio duma geração corrompida e perversa, entre a qual resplandeceis como astros no mundo;...*
>
> *Filipenses 2: 14,15 ARC*

A murmuração é um muro que impede a ação de Deus. Ela é contrária à gratidão e quando usamos nossa boca para murmurar estamos atraindo mais e mais do que é negativo e maligno, estamos dizendo não a Deus e sim ao mal.

Não é porque não entendemos o que vivemos num momento, ou numa situação, que temos o direito de murmurar. Isso não é válido, porque se fosse assim, deveríamos celebrar em gritos todas as vezes que alcançássemos nossas simples conquistas. Já pensou nisso?

Os filhos de Deus precisam desenvolver o bom hábito de celebrar a Deus pelas pequenas vitórias.

De um jeito ou de outro, Deus é quem faz tudo por todos. Nossa boca deve ser fonte de reconhecimento continuo à supremacia dEle.

O murmurar é tão significante que a bíblia diz que quem pratica isso perece, perde, atacado pelo anjo destruidor, o próprio inimigo, ou seja, este ato o legaliza a agir em nossas vidas. O pior é que isso passa muito despercebido por quem o faz. Daí o problema: a pessoa sofre e não sabe porque. Ela não reconhece o que ela mesma está pronunciando e liberando nas regiões celestiais. É a "morte invisível" chegando de mansinho e encontrando pouso pela legalidade das palavras.

Por favor, muito cuidado com o que você fala, cuidado para não estar celebrando derrotas ao invés de contar as vitórias que Deus tem te dado. Temos que abolir a murmuração dos nossos lábios.

A murmuração atrai perdição. O corpo de Cristo se move em adoração.

A gratidão atrai vida e libera vida pelo espírito adorador.

AGRADEÇA

1.   Agradeça pelas virtudes de Deus e peça perdão a Ele por suas lamúrias e murmurações.

2.   Agradeça por poder ensinar a quem puder, os perigos da murmuração.

3.   Agradeça pelo que você não está vendo, percebendo e entendendo, mas ainda está crendo.

4.   Agradeça mais do que costumava agradecer, desligue-se de palavras de murmuração e conecte-se a um novo nível de gratidão em Deus.

13. A ANSIEDADE

Deus não nos quer aflitos e ansiosos, mas sim em descanso e paz de espírito. Para isso, aceita receber todas nossas petições e clamores.

Quando oramos, podemos estar certos de que Deus nos ouve, mesmo quando não "sentimos" nada.

Ao saber que já comunicamos algo a um amigo, temos a sensação de dever cumprido. Quando falamos com Deus, temos que estar convictos de que fizemos nossa primeira parte com Ele e nossas palavras não foram em vão. Esse entendimento precisa estar implícito em nós e levar alívio a nossa alma.

A oração é uma entrega e um depósito, depois vem a hora do crer e descansar. O clamor voluntário e contínuo maximiza a paz, atrai o poder de Deus e espanta a ansiedade.

Não andeis ansiosos de coisa alguma; em tudo, porém, sejam conhecidas, diante de

Deus, as vossas petições, pela oração e pela súplica, com ações de graças". "E a paz de Deus, que excede todo o entendimento, guardará o vosso coração e a vossa mente em Cristo Jesus.

Filipenses 4:6,7 ARA

Portanto, humilhem-se debaixo da poderosa mão de Deus, para que ele os exalte no tempo devido.

Lancem sobre Ele toda a sua ansiedade, porque Ele tem cuidado de vocês.

1 Pedro 5:6,7 NVI

Viver em ansiedade faz o homem carregar um peso invisível, desnecessário e opressor. Ansiedade é excesso de futuro na mente, é trazer à memória o que não convém "comprando" imagens mentirosas. É sofrer por algo que não aconteceu e dar crédito ao que não existe.

O que fazer então com tudo que passa na nossa mente tentando nos perturbar e tirar o sossego? Porque não colocar isso para fora da maneira correta, no lugar certo e nas mãos de quem realmente pode nos ajudar?

Deus está sempre pronto para nos receber, escutar e "aliviar". Ao orarmos Ele trabalha em nosso espírito, mesmo onde não enxergamos resultados, eles estão sendo gerados.

Desculpe-me, mas não me refiro a uma reza ou oração corriqueira, e sim a um diálogo de qualidade, um desabafo, uma confissão, um clamor e derramar de verdades.

Ele indica isso, pede que nos apresentemos a Ele levando nossas petições e preocupações através da oração. O Espírito Santo direciona tudo do início ao fim: os assuntos, as dificuldades, as dúvidas, os vazios, os sonhos, as respostas etc.

É importante confiar no que oramos, o tanto quanto confiamos no Deus que recebe a oração. É necessário ter ação e agir em direção as promessas. Só faz sentido confiarmos em Deus se estamos seguindo o que Ele nos diz.

Alistemo-nos neste exército de vencedores que se apresentam a Deus com ações de graças, entregando-lhe nossos cuidados. A oração é a fórmula que nos leva a Deus e a arma que nos livra da ansiedade.

AGRADEÇA

1.   Agradeça ouvindo o que Deus fala e seja livre da ansiedade falando com Ele.

2.   Agradeça por não haver limites para que você leve suas frustrações a Deus.

3.   Agradeça sabendo que o Senhor está pronto para te receber e te ouvir todos os dias.

4.   Agradeça por poder crer e desfrutar da paz que se sobrepõe a todo entendimento.

14. O EXEMPLO

Precisamos ser exemplos entre todos e em qualquer ambiente, deixando marcas de Cristo por onde quer que passemos.

Sejamos exemplos primeiro em casa, depois na vizinhança, no trabalho, na igreja, na sociedade, na vida e nas nações.

Não podemos ser apenas pessoas de palavras, devemos ser palavras vivas. Nossas atitudes são muito mais lidas do que o que dizemos. Devemos expressar com dignidade a imagem de Deus em nosso caráter.

O comportamento e caráter de uma pessoa revelam quem ela é.   O povo de Deus precisa se levantar em ação e mostrar sua diferença, não se pode fugir daquilo que é nossa responsabilidade. O universo está cheio de lugares escuros pela falta da luz de Cristo e da manifestação viva da igreja.

Ninguém despreza a tua mocidade; mas sê tu o exemplo dos fiéis, na palavra, no trato, no amor, no espírito, na fé, na pureza.

1Timóteo 4:12 ARC

Assim resplandeça a vossa luz diante dos homens, para que vejam as vossas boas obras e glorifiquem o vosso Pai, que está nos céus.

Mateus 5:16 ARC

Não podemos desprezar o tempo que nos resta, precisamos revelar as grandezas do céu através de nosso testemunho.

Muitos que se dizem fiel a Deus e usam o nome Dele, tem sido na verdade uma vergonha para o reino.

O mundo não precisa de pessoas religiosas que cumprem os regulamentos de suas denominações ou os padrões de seus credos, o mundo não precisa de frequentadores de templos, o mundo precisa de pessoas que "frequentam a presença" do eterno em seus quartos e manifestam a presença dEle em público. O mundo carece de pessoas autênticas que na sua essência se fazem a igreja desta geração.

Os membros do corpo de Cristo estão vivos e se movem em verdade, santidade, amor, pureza, temor, fidelidade, obediência, submissão, compaixão, boas obras etc.

Temos que ser menos egoístas e sair em busca de servir mais. Temos que ser atraentes, não repelentes.

Temos que ser prudentes no falar e no proceder. Precisamos viver um caráter digno em qualquer posição ou lugar, comportando-nos como exemplo entre os fiéis.

Temos que dar e distribuir o amor de Deus.

Precisamos ser gratos ao Senhor e grato aos homens.

Uma vida de agradecimento e gratidão a Deus vai "imprimir e exibir" a imagem de Jesus a quem nos cerca.

O mundo precisa de Deus, o mundo precisa ver Ele em nós.

AGRADEÇA

1.   Agradeça por poder ser uma pessoa melhor.

2.   Agradeça pela vida de Jesus, o exemplo do Pai que nos traz vida.

3.   Agradeça investindo mais da sua vida em Deus e se torne um exemplo de Cristo para todos.

4.   Agradeça por poder gerar filhos exemplares.

15. A RECOMPENSA

Não podemos acreditar que nossas ações de amor, verdade e bondade são despercebidas por Deus. Nada fica em vão diante Dele.

Deus sempre sabe recompensar seus filhos.

O homem tem sentimentos, carências de afeto, carinho e amor, não é como um robô, que simplesmente funciona programado no automático. Sabemos que nossa alma é emoção, mas sabemos que a "energia" que nos move é o nosso ser espiritual, Deus em nós pelo Espírito dEle. O amor é o maior de todos os dons e o amar é a atitude mais sublime na demonstração do servir.

A persistência em decidir amar e ser bondoso é um resultado de nossa identidade e de quem somos em Deus. Ele nos recompensa pela naturalidade de seus princípios de semeadura.

> *E não nos cansemos de fazer o bem, porque a seu tempo ceifaremos, se não houvermos desfalecido.*
>
> **Gálatas 6:9 ARC**
>
> *Tudo o que fizerem, façam de todo o coração, como para o Senhor, e não para os homens...*
>
> **Colossenses 3:23 NVI**

Fazer o bem é uma das marcas de um cristão autêntico.

Deus a tudo contempla, nosso serviço nunca é em vão, está escrito, todo serviço é registrado por Ele.

Fazer o bem faz bem para a alma. Não devemos fazer o bem para ser visto ou aplaudido pelo homem, isso não é servir, é querer se exibir e aparecer. Fazer o bem para se ter algo em troca não é fazer o bem, é agir com hipocrisia querendo ganhar ali na frente.

Quando em amor fazemos o bem, revelamos em nossas ações a "figura" de Deus. Jesus disse que não veio fazer a sua vontade, mas a vontade do Pai, disse que não veio para ser servido, mas para servir. Ele fez isso amando pessoas, curando e transformando vidas. De que adianta a fé sem as obras? De que adianta um cristão pregar um Deus que é amor se suas atitudes não demonstram o Deus que prega? Não há sentido nisso.

Você pensa em não fazer o bem porque alguém não te fez bem? Então você não faria para o reino de Deus, mas sim para o seu.

A bíblia diz que devemos vencer o mal com o bem.

Antes de sermos religiosos ou membros de uma determinada igreja, somos cidadãos do reino dos céus, o reino do amor.

O reino de Deus não para, se move sem parar a serviço do homem: você e eu. Somos amparados por ele aplicando seus princípios.

O reino de Deus é para todos, mas a conduta má, errada ou egoísta de uma pessoa, a fará caminhar desprotegida. Deus não faz o mal e nem tem comunhão nenhuma com ele. Fazendo o bem, estamos agindo como Deus, fazendo o mal, ou pensando no que é mal, estamos agindo como o inimigo quer.

Deixar de fazer o bem pode impedir o cumprimento de promessas. Deus conhece nossas intenções, nossa autenticidade agrada seu coração, e nossas bondades atrairão a bondade infinita dEle até nós.

Não podemos nos "deixar morrer" pela ingratidão de terceiros que não nos fizeram bem. Sejamos gratos a Deus permanecendo na bondade dEle e agindo pelo seu amor. Assim como Ele tem sido bom para nós, assim sejamos nós também. Fazendo o bem ao próximo, fazemos bem para nós mesmos.

AGRADEÇA

1.   Agradeça pelo bem que já te fizeram e fazem.

2.   Agradeça sabendo que é pela bondade de Deus que você vive.

3.   Agradeça por ser capaz de escolher nunca fazer o mal, mas de decidir sempre pelo bem.

4.   Agradeça pelo poder recompensador de Deus e o bem que dEle vem sobre os que fazem o bem.

16. O MAL

Jesus nos deu autoridade para lutar contra as for-ças espirituais das trevas e vencer todo mal no poder do nome dEle.

No mesmo lugar onde Deus havia colocado Adão, ele perdeu a autoridade que tinha, quando Eva e ele foram enganados pela serpente. Ali, eles estavam "entregando ao inimigo" o direito que tinham recebido para exercer o domínio sobre a terra.

Jesus veio, salvou a humanidade, e vencendo a Satanás devolveu ao homem o direito "legal" de governar. O reino das trevas hoje, atua totalmente no campo da ilegalidade. A igreja, corpo de Cristo, tem direitos legais para enfrentar o inimigo e vencer as forças da maldade que perturbam o homem. Não podemos ficar parados ao ver tanta gente sofrendo, oprimida por demônios e desistindo de lutar. A Bíblia nos chama de mais que vencedores por aquele que na cruz venceu todas as coisas por nós.

*Eis que vos dou poder para pisar ser-
pentes, e escorpiões, e toda a força do inimigo, e nada vos fará dano algum.*

Lucas 10:19 ARC

*...pois a nossa luta não é contra pes-
soas, mas contra os poderes e autoridades,
contra os dominadores deste mundo de trevas, contra as forças espirituais do mal nas
regiões celestiais.*

Efésios 6:12

Não podemos ser passivos com as obras das trevas, precisamos reagir contra elas na autoridade do
nome de Jesus. A omissão ao mal faz com que ele tome
espaço em nossas vidas. Não podemos ficar de braços
cruzados vendo as ações do adversário e não fazendo
nada, precisamos nos posicionar, resistir, reagir e atacar.

Se for preciso peça ajuda, se acomodar é perigoso,
é afundar sem ver, é se deixar ser levado pelas circunstâncias ou cair num buraco que parece sem fim. Também, é preciso que caminhemos com vigilância e discernimento para não atirarmos em vão lutando contra
o alvo errado. Nossa luta é espiritual, não é contra os
homens.

É importante domar nossa carne, nossa alma e
nosso eu. Temos a pessoa do Espírito Santo, "prumo
vivo de Deus" dentro de nós. Jesus veio para nos fazer
livres e nos manter assim. Ele nos liberta para que possamos libertar outros.

Temos que enfrentar a guerra e lutar "em oração" por todos, principalmente pelos nossos familiares, filhos e amigos. Mesmo sabendo que cada um escolhe o que quer da vida, não podemos desistir de clamar, guerrear e profetizar sobre estes. Fomos levados à salvação um dia, através da oração ou palavra de alguém, lembremo-nos disso. Deus conta com usar seus filhos, Ele quer nos usar. Deus age na terra usando "homens".

Não podemos tolerar nada que esteja nos retirando da vida abundante e verdadeira que Cristo tem para nós. Quando alguém se afasta de Deus ele perde a noção das coisas e escravizado pelo inferno fica "cego", perdido e preso em cadeias.

Quem dá lugar ao pecado é vencido por ele e não vence o inimigo. Essa pessoa precisa se arrepender e se render a Jesus.

Deus é especialista em tirar pessoas do lixo e reciclar a vida delas. Precisamos estar em santidade para exercer a autoridade daquele que é santo. É hora de tomarmos postura de embaixadores do reino contra as obras das trevas, assumindo em Cristo a posição original de governo e autoridade contra tudo que não é de Deus.

O inferno não vai parar a obra da igreja, ele não vai conseguir fazer o corpo do Senhor parar de se mover, governar e crescer. Seja parte deste corpo vitorioso, não dê lugar ao diabo, tudo que ele busca encontrar é um espaço ou uma brechinha para entrar, tomar o que é seu e acabar com sua vida.

Viva a autoridade de Jesus e use-a pelo poder do seu nome.

AGRADEÇA

1.   Agradeça reagindo em Deus e deixando de ser omisso às obras das trevas.

2.   Agradeça crendo no poder do Espírito Santo e no reino de Deus dentro de você.

3.   Agradeça por ter o direito de lutar contra as obras ilegais do mal e vencê-las usando a autoridade do nome de Jesus.

4.   Agradeça por poder arrancar vidas da escuridão do "inferno" e levá-las para a luz de Cristo.

17. O COMPANHEIRO

Jesus é a imagem do Pai que não deixa seus filhos, mas se dá por eles e vai com eles até o fim.

Ele manifesta sua vida na vida dos seus.

Ele anda com quem anda com Ele e espera ser recebido por quem ainda não o recebeu.

Ele ama salvar quem está perdido, e se faz vivo junto dos que já o acharam.

Ele é o Deus que entra para agir onde é chamado e vai onde é invocado.

Ele é Jesus, o Rei dos Reis e Senhor dos Senhores.

Ele acompanha os passos dos que o acompanham.

Ele investe naqueles que investem tempo nEle.

Ele cresce, se manifesta e "aparece" através de sua igreja.

Ele é aquele que promete e cumpre "sua" profecia.

... e eis que eu estou convosco todos os dias, até à consumação dos séculos. Amém"!

Mateus 28:20 ARC

O Senhor, pois, é aquele que vai adiante de ti; Ele será contigo, não te deixará, nem te desamparará....

Deuteronômio 31:8 ARC

Quando o Senhor Jesus disse que estaria conosco todos os dias é porque Ele sabia da importância de sua pessoa junto a nós. Note que o verbo do versículo não diz estarei convosco, como no futuro, mas sim estou, Ele é Deus para já, para hoje e todo dia.

Não podemos desconsiderar a graça da sua companhia, ela faz toda a diferença. A presença de Deus repele o mal, a "contínua" presença de Deus mantém o mal longe de nós.

Quanto tempo passamos na presença dEle? Com que frequência? Qual foi a última vez que tivemos uma experiência com Ele na nossa própria casa?

É a sós com Ele que somos cheios do "azeite fresco". É aqui que somos imponderados, munidos de luz e revigorados para os combates.

Precisamos parar de ilusão, somos os responsáveis por invocar e atrair a presença e o poder de Deus. O Senhor está em todos os lugares, mas só se "faz presente" onde é invocado ou adorado. Trazemos a presença cultuando, orando, falando da palavra, adorando e nos movendo no espírito.

Este é o obedecer andando com Ele, é desfrutar da graça praticando os princípios do reino. Não servimos ao Senhor só porque frequentamos uma igreja, o servimos sendo a igreja que ouve e faz o que a palavra diz. Nossa obediência nos aprova, atrai Deus, e atrai o que é dEle. Nossa desobediência nos reprova, afasta dEle e do que é dEle para nós. Viver em desobediência é não viver o poder de Deus e dar a legalidade para satanás.

Sem a presença de Deus não conseguimos suportar as lutas contra o inferno. Nossos conflitos, batalhas e perseguições devem nos levar para mais perto dEle, não para longe. Muita gente atolada em seus prazeres e pecado parece ter se conformado em viver desse jeito.

O pecado "saboroso" de um momento é perigoso, Jesus é a vida melhor em todo tempo. Quem já viveu os dois lados da moeda sabe que o prazer do pecado dura pouco, o viver com Cristo gera gozo, paz e vida eterna.

O nosso ser precisa ser levado para onde sabemos que Deus está. Andar com Ele é andar em segurança, andar sem Ele ou longe dEle é viver perdido. Quanto mais perto dEle, mais podemos ouvi-lo, quanto mais firmes nEle, mais contamos com sua paternidade e socorro.

AGRADEÇA

1.   Agradeça por poder ser achado em Deus todos os dias, isso não tem preço.

2.   Agradeça reconhecendo o valor da presença de Jesus em sua vida.

3.   Agradeça sabendo o que você pode vir a colher por fazer a sua parte e andar com Ele.

4.   Agradeça por poder ser um canal da presença de Deus para o mundo.

18. A PROVISÃO

Ele governa o tempo e caminha dentro dele, Ele é a vida que nunca morre e faz quem está morto reviver a qualquer tempo.

O Senhor é a vida que nos faz ter vida, não importa os "momentos de morte" que enfrentamos. Ele venceu a cruz para que vençamos os momentos difíceis por Ele. Revivemos das cinzas com a palavra da fé, não podemos perder o alvo e as promessas de vista.

Quem nasceu de novo de verdade não se conforma mais em parar ou ficar atolado em lugares de morte. Quem reviveu gosta de andar com quem está vivo. Quem está vivo com Deus quer dar vida a quem está morrendo.

O dono da vida não soube, nem sabe ser derrotado, Ele quer passar isto para os seus filhos.

Nunca é tarde para Ele, a morte corre quando Ele chega e o poder da vida se faz real.

Disse-lhe Jesus: Eu sou a ressurreição e a vida; quem crê em mim, ainda que esteja morto, viverá; e todo aquele que vive e crê em mim nunca morrerá.

João 11:25-26 ARC

Tudo fez Deus formoso no seu devido tempo; também pôs a eternidade no coração do homem, sem que este possa descobrir as obras que Deus fez desde o princípio até ao fim.

Eclesiastes 3:11 ARA

Viver em Cristo é uma caminhada e estilo de vida de constante "ressurreição", é viver novidade de vida em todo tempo.

Nessa estrada, negar as imagens e caminhos de morte é obrigatório, os "sinalizadores da terra" terão sempre que ser enxergados como menores do que os do céu.

Os padrões de vida da terra são diferentes dos padrões estabelecidos pelos céus do Senhor. Os padrões da terra geram "morte", os padrões dos céus geram vida.

Em qual dos padrões você está baseando a sua vida?

Você está morrendo espiritualmente, ou está revivendo mais a cada dia?

O que os céus de Deus têm conseguido exercer em você?

O que você está gerando para o reino dEle?

Você tem influenciado o meio em que você vive com as obras do céu ou tem se embaraçado com as coisas da terra?

Com Deus nunca é tarde para se ressuscitar. Jesus sempre chega na hora certa, Ele nunca se atrasa, ainda que pensemos que sim. Ele chegou à casa de Lázaro para curá-lo exatamente quatro dias depois de sua morte, declarou ser a ressurreição, parou na porta do túmulo, mandou que tirassem a pedra, chamou pelo nome de "seu amigo", e ele revivendo, saiu para fora. Deus estava nos mostrando que nenhuma morte pode segurar a vida que Ele dá.

Para viver o que Deus tem, muitas vezes precisamos matar o que a terra quer nos dar. Renascemos quando escutamos ao Espírito de Deus, daí ressuscitam os sonhos, a fé, a comunhão com Ele e o propósito.

Um bebê quando nasce normalmente grita ou chora pedindo socorro, talvez por desconhecer o novo ambiente. Nós "homens", ao sermos retirados de nossa "placenta" quentinha e aconchegante (lugares de comodismo), pensamos que vamos morrer, mas não, é Deus nos fazendo renascer em novos propósitos, é a hora de chorar, clamar e gritar pelo Pai. Ele é o médico que vem com o socorro da vida.

Ainda que tudo pareça abalado, Ele nos tira de quadros de morte e nos seus braços leva-nos para um ambiente de vida maior. Com Ele a morte vira vida e a vida se move sem morte.

Saia dos lugares de falência e vá para onde sabe que há vida para você. Se estiver num lugar de vida, não alimente mais pensamentos de morte, lute pelo que conquistou e conquiste mais.

Lembre-se, tudo começa pequeno, tanto a morte quanto a vida.

Deixe sempre morrer o que vem para sua morte.

Deixe sempre crescer o que vem para sua vida.

O mal domina o que é para a morte, Jesus libera vida.

AGRADEÇA

1.   Agradeça por poder nascer do Espírito e reviver.

2.   Agradeça sabendo que Deus nunca se atrasa, mas cumpre seus planos na hora exata.

3.   Agradeça levantando pensamentos de vida e deixando cair os pensamentos de morte.

4.   Agradeça enxergando a ressurreição coletiva dos seus sonhos e dos sonhos de Deus para você.

19. A AJUDA

Enquanto alguns nos apontam e julgam, Cristo não veio nos julgar, mas sim ajudar e salvar.

Não é bom esperar muito de certas pessoas, não sabemos exatamente o que pode vir delas.

É importante sermos livres da carência ou "dependência" humana por mais difícil que seja este exercício. Essa atitude é falha, está fora do plano original e, mais cedo ou mais tarde, pode trazer consequências duras de encararmos.

Somos livres em Deus, ou pelo menos deveríamos ser.

Amar alguém é uma coisa, idolatrar é outra.

Um idólatra é cego, ele é capaz de desobedecer a Deus achando que está fazendo o bem para quem ama, quando na verdade está prejudicando a si mesmo e a quem idolatra, está "se matando" e não deixando a outra pessoa viver a verdade e os limites que a vida impõe.

A palavra de Deus nos corrige, julga, alinha e leva à salvação. Jesus é a palavra viva que veio representando o poder de Deus em nos amar sem o julgar devido.

Ele é a própria palavra da graça, misericórdia e amor. Ele não nos vê como alguns nos vêem nem nos julga como muitos nos julgam.

> *Porquanto Deus enviou o seu Filho ao mundo, não para que julgasse o mundo, mas para que o mundo fosse salvo por ele. Quem nele crê não é julgado; o que não crê já está julgado, porquanto não crê no nome do unigênito Filho de Deus.*
>
> *João 3:17 ARA*

> *Ele mesmo julga o mundo com justiça; governa os povos com retidão. O Senhor é refúgio para os oprimidos, uma torre segura na hora da adversidade.*
>
> *Salmos 9:8,9 NVI*

Julgar é uma palavra de grande peso. Não devemos aceitar julgamentos de ninguém, nem de nós mesmos, precisamos julgar menos.

Não fomos chamados para julgar, mas sim para amar, temos que nos amar mais e amar mais aos outros, seja quem for.

Jesus disse que temos que amar nossos inimigos. Será que estamos realmente praticando isso? Será que não julgamos mais do que amamos?

Será que quando julgamos alguém estamos 100% certo?

Será que não seria melhor fazer como Deus em Cristo fez por nós?

Será que não é melhor ajudar a salvar do que julgar?

O papel de julgar está nas mãos de Deus, só Deus é o justo juiz, Ele não faz acepção de pessoas, mas julga na "sua balança fiel" a justa medida de cada um.

Diferentemente de nós, Ele conhece com detalhes o outro lado de cada "moeda", conhece as causas, motivações e coração do ser humano. Ele pode nos julgar primeiro porque nos amou primeiro e trouxe-nos vida.

Devemos cobrar menos de nós mesmos e saber cobrar o que é correto.

O caminho da salvação está aberto, não está numa religião, está numa pessoa.

O filho de Deus veio resgatar o "homem" da escuridão e salvar, nEle está o sentido da vida e a palavra da eternidade.

Enquanto muitos não sabem nos ajudar e só conseguem nos apontar, perseguir e criticar, Deus nos oferece o seu perdão, amor e boas novas de restauração.

Perdemos o melhor se nos perdemos de Jesus, ganhamos tudo se perdemos a idolatria à coisas e pessoas para sermos "apaixonados" por Ele.

AGRADEÇA

1.   Agradeça desprezando os julgamentos e as críticas que fazem de você.

2.   Agradeça porque o Deus que pode te julgar e condenar, decidiu mais do que tudo te amar e transformar.

3.   Agradeça correspondendo ao convite de amor e salvação de Jesus.

4.   Agradeça sabendo que você não pode ser mais um que julga, mas sim que ama e ajuda.

20. A PAZ

A Paz é um dos mais preciosos "diamantes" do Reino dos Céus, Jesus é o agente dela para a terra.

Sua paz de governo é incomensurável, é um repousar e dirigir do Espírito Santo que muitos não conhecem por não conhecerem a Ele. Esta paz supera os limites da inteligência humana, é uma consciência sobrenatural e coração "leve" que todos deveriam vivenciar.

As pressões e perturbações do sistema globalizado para fazer o homem correr atrás do ter e só ter, o tiram do lugar do ser, celebrar e viver.

É triste, mas é a realidade, ninguém é obrigado a estar preso nesse sistema de consumismo mundano. Muitos estão doentes com estresse, crises de ansiedade e depressão por falta de paz, por só se preocuparem com os bens da terra, ao invés de buscarem acima de tudo o bem na terra: Jesus, a verdadeira paz.

Deixo-vos a paz, a minha paz vos dou, não a vos dou como o mundo a dá. Não se turbe o vosso coração, nem se atemorize.

João 14:27 ARC

E a paz de Deus, para a qual também fostes chamados em um corpo, domine em vossos corações; e sede agradecidos.

Colossenses 3:15 ARC

A paz de Cristo pode habitar em nós e "domar" com vida nossos corações. Não me refiro a uma paz qualquer, mas sim uma paz em Deus. Dinheiro não pode comprar este "estado de paz". O "homem" não conseguirá desfrutar desta paz se não tiver tempo para quem pode dar esta paz para ele.

Viver esta paz é conseguir se guardar mesmo quando provocado a perder o equilíbrio, é algo que supera emoções e momentos, é uma paz de espírito que ninguém alcança sozinho. Esta bendita paz vem pela oração, palavra, louvor e vida espiritual.

O ser humano precisa de paz.

O ser humano precisa de Deus.

O ser humano precisa experimentar a paz que Jesus veio dar. É na comunhão com o Espírito Santo que a encontramos. Abrir mão disso é abrir mão de herdar um tesouro de valor incalculável, é aceitar perder uma grande premiação.

Precisamos posicionar nosso "eu" neste lugar de paz excelente, precisamos nos "despejar" nisso.

Por vários momentos teremos que desobedecer nosso corpo que quer "prazer" e nossa alma que quer sentir, para dizer sim para o nosso espírito que quer ser e viver.

O espírito do homem é "alimentado" pelas obras do Espírito de Deus. Ele, o espírito do homem, é o receptor desta paz e também o "recipiente" que a armazena.

Imagine pela fé, que hoje, uma placa é colocada na estrada da sua vida, esta placa diz com letras bem grandes: Seu espírito precisa viver paz, não perca mais tempo, vá em busca dela, é de graça, eu te dou. Assinado Jesus, autor da paz.

AGRADEÇA

1.   Agradeça estando consciente que a paz de Cristo te foi deixada.

2.   Agradeça resistindo as angústias que batem em sua porta e invoque a paz dEle.

3.   Agradeça sabendo que esta paz é mais poderosa do que qualquer de "suas" aflições.

4.   Agradeça entendendo que a paz que você carrega e manifesta influencia o meio que você vive.

21. A FÉ

Somos gratos a Deus crendo nEle, honrando-o com o nosso servir e selando na fé o que Ele diz.

Se aceitarmos viver as incredulidades do "mundo comum" desagradaremos a Deus. De tempo em tempo, Deus nos libera palavras de poder que soam muito além de nossas realidades, mas acreditar pode ser tudo que precisamos.

A fé cresce quando olhamos para trás e vemos o que já nos foi feito. Isso deve nos gerar expectativas para o que vem em nosso socorro. Confiar em Deus não é como confiar no homem, se Deus foi quem realmente falou, Ele vai cumprir.

É hora de darmos passos naquela direção sabendo que Ele já se responsabilizou pelo "propósito" revelado. A única maneira de Deus nos recompensar de verdade é indo em busca da palavra prometida.

> *Ora, a fé é a certeza de coisas que se esperam, a convicção de fatos que se não vêem.*
>
> *Hebreus 11:1 ARA*

> *De fato, sem fé é impossível agradar a Deus, porquanto é necessário que aquele que se aproxima de Deus creia que ele existe e que se torna galardoador dos que o buscam.*
>
> *Hebreus 11:6 ARA*

A fé é ferramenta de necessidade básica para todo ser humano, desde o menor até "o maior".

A incredulidade é inimiga de Deus, ela é contrária à fé. Ninguém merece viver sem crer, a incredulidade leva o homem a estados de paralisia, estragos e derrotas. Ela "cria interrupções e atrasos" nos planos de Deus para a vida de uma pessoa. Lembra do velho dito popular que diz que a fé move montanhas? Pois é, quais são as montanhas que precisam sair dos seus caminhos?

Talvez a principal e a maior seja a incredulidade. Ela vem para nos laçar e prender em mentiras, através de lembranças do passado ou, de pessoas negativas que querem nos envenenar com inseguranças. Não podemos deixar de acreditar na palavra do impossível que recebemos do Espírito Santo por causa de um momento, um fato ou alguém.

Crescemos na fé quando a exercitamos.

Exercitamos a fé atravessando planícies e montanhas.

Começamos este exercício, sendo firmes, resistindo ao medo, focando e continuando em "modo avanço".

Lembremos que a fé não tem nada a ver com o que vemos, ao contrário, é a certeza daquilo que ainda estamos aguardando. Temos que agir olhando para o alvo que o Senhor deu, se tudo ou todos disserem não, mas Ele disse sim, então já foi, está feito, nada poderá ser diferente, apenas maior e mais lindo.

Nossa fé agrada o coração de Deus, faz nos provar quem Ele é e nos traz galardões (presentes).

AGRADEÇA

1.   Agradeça pelo poder do crer e somente crer. Caminhe junto de quem tem fé.

2.   Agradeça entendendo que a fé, por menor ou maior que seja, só funciona se for aplicada.

3.   Agradeça pensando nas respostas que sua fé em Deus irá gerar.

4.   Agradeça por poder compartilhar a sua fé e influenciar outros a crerem.

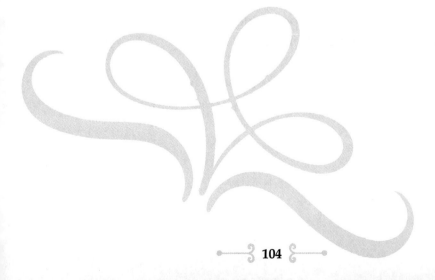

22. O ALIMENTO

A palavra dEle é o melhor suplemento e o mais puro alimento, é o pão nosso de cada dia.

A bíblia contém todas as "vitaminas" necessárias para o homem. Nela, estão os suplementos para o corpo de Cristo. Sozinha ela é capaz de derrubar fortalezas, nutrir carências, vencer fraquezas e suprir vazios. Aqui não há limites, quanto mais o homem receber dela, mais saciado será e melhor viverá, quanto mais ele se afastar dela, mais fraco, desnutrido e sem vida estará.

Experimentamos a conversão quando nos alimentamos da palavra, ela é a profecia do Espírito que convence o homem da justiça, do pecado e do juízo. Ela é a voz que dá o poder infinito para o homem, é a bússola para os perdidos e o tesouro maior para os que a encontram. Deixá-la de lado é rejeitar ouvir a Deus, é sair da estrada da benção e aceitar andar no lado escuro da vida, padecendo na selva do engano. Recebê-la e mantê-la viva em nós, expele males, ativa a fé e realiza o inimaginável.

"Jesus, porém, respondeu: Está escrito: Não só de pão viverá o homem, mas de toda palavra que procede da boca de Deus."

Mateus 4:4 ARA

Trabalhai não pela comida que perece, mas pela comida que permanece para a vida eterna, a qual o Filho do Homem vos dará, porque a este o Pai, Deus, o selou.

João 6:27 ARC

Quem não come morre, um homem que não se alimenta de Deus também. A morte espiritual tem matado muitos que simplesmente rejeitam a palavra da vida.

Jesus é o pão divino da mesa do Pai servido pela escritura sagrada. Nela se descobre a justiça de Deus de fé em fé, como está escrito: o justo viverá pela fé.

Seguir o evangelho segundo Jesus Cristo é viver a salvação e o Poder de Deus com a "dieta eterna do céu".

Porque rejeitarmos algo tão significativo e essencial ao nosso organismo espiritual, físico e emocional? Que sentido tem isso?

A fraqueza mental e carnal do ser humano tem afastado ele da leitura da palavra. O esgotamento físico, desgaste emocional e falta de sono de qualidade também, tudo isso contribui. Pior é saber disso e não fazer nada.

Parece insano, corre-se atrás de tudo e, sem Deus, se recebe o que depois vira nada. A busca pelo que achamos que é nosso sem ouvir a voz dEle nos tira do propósito.

Tudo tem um preço, pagamos pelas nossas próprias escolhas e colhemos exatamente aquilo que plantamos e aceitamos viver.

Nunca é tarde para acordar, nunca é tarde para recomeçar.

Nunca é tarde para crescer, apagar os erros do passado e ir em busca de gerar vida onde fomos chamados.

O conhecimento da palavra nos faz saber "sobre" Deus, o conhecimento da "pessoa" de Deus está em Jesus, o verbo que se fez carne.

Não adianta conhecermos a palavra escrita se não nos deixamos ser ministrados por quem a escreveu. A bíblia é um livro vivo e eficaz, é Deus falando ao nosso eu, dando luz ao nosso entendimento, curando nossa alma e nos impulsionando ao verdadeiro destino. Não aplicar a palavra é não ter vida plena e continuar seguindo caminhos de morte.

Conhecer a bíblia não é a mesma coisa que conhecer um livro, é conhecer quem a criou e inspirou seus escritores. Aplicar seus ensinamentos é viver na terra a verdade dos céus. Dali vem nossa libertação, conversão, transformação, saúde, prosperidade e milagres. A ignorância bíblica do homem o tem deixado raquítico, disfuncional e maltratado. Que pena!

Nossa salvação não se resume ao dia que nos rendemos a Deus, nem no dia em que sairemos da terra para encontrar com Ele. Nossa salvação é nos mantermos vivendo diariamente a palavra do reino e da verdade. A salvação é para hoje, é diária, é para sempre, é ir até o fim sendo alimentado pelo pão do pai.

AGRADEÇA

1. Agradeça recebendo a palavra de Deus como seu verdadeiro sustento espiritual.

2. Agradeça porque ela te traz respostas, saídas, soluções e vida.

3. Agradeça por conhecer através dela o Deus que te criou.

4. Agradeça se saciando em Jesus, a palavra encarnada e o pão vivo servido na mesa do Pai.

23. O ADVOGADO

Deus nos defende em cada causa, em todos os processos e em todas as instâncias.

Mesmo quando nossos olhos não conseguem ver o que Deus está movimentando, criando, provendo, conectando, ou desenvolvendo para nos libertar de problemas e "prisões", Jesus é nosso maior defensor. Ele é o advogado fiel que nunca para. Sua defesa é sempre real e incorruptível.

Às vezes, mais importante do que atacar em vão e se desgastar, é saber que estamos sendo defendidos e amparados pela verdade dos céus.

Quando nos posicionamos neste lugar no Espírito, sabemos que Deus em Cristo nos defende. Ele age por nós com precisão, misericórdia e poder.

Meus filhinhos, estas coisas vos escrevo para que não pequeis; e, se alguém pecar, temos um Advogado para com o Pai, Jesus Cristo, o Justo.

1João 2:1 ARC

...ao Senhor clamarão por causa dos opressores, e Ele lhes enviará um salvador e defensor que os há de livrar.

Isaías 19:20 ARA

Jesus pode libertar o homem do pecado e dos embaraços da vida, Ele "aceita advogar" qualquer de nossas causas, por mais perdidas que pareçam. Ele nos defende das obras do mal e nos devolve a identidade original de filho. Todo filho tem por direito receber o que o pai deixa como herança.

Quantas pessoas estão frustradas e em desespero por se sentirem incapacitadas, indefesas ou desamparadas? Deus é o único que pode "ler nossos corações", mesmo conhecendo nossos erros transgressões, Ele aceita advogar dos céus nossa causas terrenas, tudo sem custo e sem desistência de causa. O preço Ele já pagou, o que Ele requer é pacto, fidelidade e compromisso.

Ele é o dono das leis, é a palavra sagrada e o livro da lei.

Ele é o autor e escritor da constituição divina.

Ele é o advogado dos céus, aquele que conhece nossa história com detalhes por dentro e por fora desde sempre.

Ele é o grande mandamento, é o amor para com todos, o mesmo que nos projetou e protegeu desde o princípio.

Ele sabe tudo a nosso respeito, inclusive as causas que serão julgadas no amanhã.

Além da justiça, na sua balança sempre existe piedade, compaixão, amor, perdão e autoridade. Ele é o justo que veio nos justificar nEle, em seu sacrifício salvífico nada falta e tudo se completa.

A obra com Ele nunca é virtual, ela é real por mais surreal que pareça. Ninguém pode ser amparado por um advogado se não se permitir ser defendido por este.

Assim como um advogado representa a defesa de um indivíduo na corte, Jesus nos defende quando entregamos para Ele nosso viver e nossas causas. Nós validamos esta ação de defesa pelo compromisso que firmamos com Ele, como advogado e Senhor de nossas vidas.

Uma coisa é uma pessoa ir sozinha se defender no tribunal, outra coisa é ela ir ao juiz acompanhada de seu advogado. Uma coisa é você andar só, outra coisa é você andar com Deus e Deus andar com você.

Uma coisa é nos defendermos com aquilo que conhecemos das leis, outra coisa é sermos defendidos pela palavra da lei e o autor que criou toda ela.

Não há nada como ser defendido por Jesus, não há nada como viver protegido pelo advogado que não perde causas.

AGRADEÇA

1. Agradeça por ter vencido causas pela misericórdia de Deus.

2. Agradeça porque o melhor dos advogados pode "ser e fazer" sua defesa. Entregue tudo a Jesus.

3. Agradeça por ter oportunidades de apresentar o justo advogado a todos que precisam.

4. Agradeça acreditando que enquanto você faz estas orações, está sendo defendido por Deus nas cortes da vida.

24. O JUSTO

Deus conhece a autenticidade de cada ser humano, Ele sabe onde todos estão pisando e para onde estão indo.

Ninguém tem o poder de saber a intenção original de outra pessoa ou de conhecê-la por dentro. Tudo isto é bem limitado. A Deus, no entanto, nada passa despercebido ou desconhecido. Um dos atributos exclusivos de Deus é a onisciência, ninguém jamais poderá enganá-lo.

Ele sabe quem conhece a verdade, mas pratica a mentira.

Ele sabe quem age por interesse e quem age por amor.

Ele sabe quem anda nos prazeres do mundo e quem "anda em espírito" com Ele.

Ele sabe quem faz parte de uma religião e quem tem com Ele uma relação.

Ele conhece tudo de todas as pessoas: os caminhos, os obstáculos, as influências, os vícios, os egoísmos, as desculpas, as negligências, as mentiras etc.

Ele sabe quem vive em retidão e quem caminha em perdição.

> *Porque o Senhor conhece o caminho dos justos; mas o caminho dos ímpios perecerá.*
>
> *Salmos 1:6 ARC*

> *Então, vereis outra vez a diferença entre o justo e o ímpio; entre o que serve a Deus e o que não o serve.*
>
> *Malaquias 3:18 ARC*

Cada ser humano tem o direito de fazer suas escolhas. Apesar de podermos aconselhar quem quer ajuda, não devemos interferir no livre arbítrio de ninguém, nem Deus faz isso. Aconselhar ou direcionar uma pessoa é totalmente diferente de induzir, manipular ou controlar. A manipulação é uma estratégia maligna que tem destruído a identidade e o chamado de muita gente. Tem sido assim desde o princípio da criação quando a serpente (satanás) conseguiu manipular Eva, destorcendo a palavra da verdade dada por Deus.

Quando uma pessoa não se posiciona em Deus, ela fica vulnerável e sem a direção original. Com isso, sem o guia divino, ela se perde "sem ver". É uma realidade que muitos não querem admitir, mas que cedo ou tarde o farão.

Também não devemos sofrer pelas insistentes escolhas erradas de uma determinada pessoa, não podemos carregar sozinhos um peso que não é nosso. Não me refiro à falta de compaixão, mas, o que é da responsabilidade de "João", não é da responsabilidade de "Maria". Existe gente que não reconhece o que faz, nunca aceita ajuda e prefere morrer em seu orgulho cego.

Outro cuidado também é importante: que não vivamos falando da vida alheia e das atitudes dos outros. Já erramos o bastante, fomos chamados para ser fonte de vida sobre o nosso próximo, não de morte, em nossa boca pode estar a cura que alguém precisa.

Ainda que estes não aceitem com amor o que deveriam aceitar, não podemos ser influenciados pelo mal, devemos influenciar a todos e a tudo com o bem, devemos orar e proferir palavras de vida.

Deus é justo e conhece o caminho de todos. Temos que atentar mais para quem somos, para onde estamos indo e como estamos nos movendo dentro do nosso próprio propósito nEle.

Uma vez atentos, vigilantes e compromissados com Ele, os "desvios" enganosos não nos tirarão da rota do reino de sua justiça.

AGRADEÇA

1.   Agradeça por ter consciência de seus passos e saber para onde está indo.

2.   Agradeça reconhecendo caminhos distorcidos da verdade, sinalize isso para outros e siga uma vida de maior retidão.

3.   Agradeça orando e liberando uma palavra profética de boas novas sobre a vida daqueles que precisam de uma intervenção divina.

4.   Agradeça sabendo que Deus te conhece e que seus resultados de vida vitoriosa estão ligados ao seu comportamento, caráter e serviço.

25. A DÚVIDA

Se dermos atenção às dúvidas elas nos enganam, bloqueiam nossa visão e impedem de avançar.

As estradas de Deus são amplas, infindáveis e cheias de saídas, ainda que o homem derrape e se perca delas, ele sempre será capaz de voltar, subir na pista e assumir seu lugar no Reino.

Deus nos colocou na terra para que "completos" cheguemos ao fim de nossa jornada, ou seja, com o sentimento de missão cumprida, "vazios de nossas ideias", dons e talentos.

Cumprir o "ide" de Jesus também é isso, é valorizar nossos frutos e sair derramando as sementes dos mesmos nos solos da terra, enquanto seguimos andando no caminho.

Se olharmos para o lado e dermos ouvidos aos "sons sedutores da mentira", dúvidas se alojarão na nossa mente e correremos o risco de parar o veículo (a obra) ou colidir.

Nada como a voz de Deus, o som da verdade, guiando e conduzindo nosso eu. Nada como uma mentalidade de crer sabendo em quem permanecemos crendo.

Peça-a, porém, com fé, sem duvidar, pois, aquele que duvida é semelhante à onda do mar, levada e agitada pelo vento. Não pense tal pessoa que receberá coisa alguma do Senhor".

Tiago 1:6-7 NVI

Pereceria sem dúvida, se não cresse que veria os bens do Senhor na terra dos viventes.

Salmos 27:13 ARC

Quando acreditamos em nós mesmos, concordamos com o projeto da nossa criação em Deus e selamos nosso potencial nEle. Dúvidas podem desacelerar o cumprimento do chamado e do propósito. Existem muitas obras em nossas vidas que se encontram em andamento. Momentos de transição de estação ou ritmo podem gerar incompreensão, confusão e dúvidas.

A verdade é que Deus sempre nos guia com visão da proa, Ele vai na frente como capitão da embarcação. Dali nos dirige na tempestade, na bonança ou sobre as ondas.

Deus trabalha reposicionando coisas para as concretizações de seus planos, seu agir é tremendo, faz ajustes e acertos naquilo que nós desconcertamos.

Apesar de nossas imperfeições, não podemos deixar dúvidas penetrarem em nossa mente fazendo colocações e perguntas sem fé e sem sentido perante o poder e a glória de Deus a nós revelada.

Obras maiores, nós realizamos em Deus, sem Ele só se vence o básico e o passageiro.

O Deus que é vivo nos faz vivos pelo que Ele nos deu, dá e dará. Não podemos duvidar de sua divindade, Ele é quem liga, conecta, abre, resolve, tira, põe, dá, conserta, une, fabrica e multiplica tudo.

Dúvidas nos fazem mal, elas tiram nossa atenção do agir e daquilo que devemos focar para viver o inaudito. Talvez precisaremos fazer como o pai da fé Abraão, sair da mesma terra e seguir para onde o Senhor nos mostrará.

A dúvida é um agente perturbador e paralisador, se não rejeitada ela gera uma mente limitada e perdedora, fazendo com que nosso progresso seja minúsculo ou zero.

Temos que marchar, nossas atitudes de ação é que trarão nossa frutificação. Os filhos de Deus o glorificam quando pela fé mostram suas diferenças.

É tempo de acreditarmos, irmos em busca de plantar e colher o novo. Não podemos dar espaço às dúvidas, temos que ouvir a palavra do pai, que é nosso, crescer na graça do filho que ama, e nos "mover no espírito" que é Santo.

A ousadia em Deus elimina a ação da cegueira e do comodismo.

A fidelidade "ao altíssimo", a "fé corrente", e o trabalho, gerarão a materialização das promessas.

AGRADEÇA

1.   Agradeça pelas dúvidas que você já venceu e tem conseguido vencer.

2.   Agradeça blindando a sua mente das dúvidas e crie expectativas brilhantes.

3.   Agradeça pelos mentores, líderes e amigos que já passaram na sua vida te ensinando a confiar em Deus.

4.   Agradeça fazendo pedidos inéditos ao Senhor, faça isso com fé e sem duvidar.

26. O ENGANO

Deus não nos engana, nem se deixa enganar, nós é que nos enganamos com nós mesmos, ou permitimos ser enganados por outros.

O ser humano é muito complexo e bem imprevisível, Deus não age como grande parte da raça humana. Ele é bondoso, perfeito e completo em tudo que faz.

Seu caráter é absoluto e completamente incomparável.

Dentre tantas marcas do seu Espírito transformador e sua presença na vida de uma pessoa, estão: o perdão, o amor, a verdade, a comunhão com o próximo, a liberdade, a "santidade" e a paz.

Deus zela por realizar seus ditos e promessas. Ele não se comporta como um homem descompromissado, é fiel no que diz, e só profere verdades, por mais duras que sejam.

Ele não muda o que Ele mesmo fez, constituiu ou estabeleceu, só aprimora e faz crescer através de "suas" metodologias.

> *"Que importa se alguns deles foram infiéis? A sua infidelidade anulará a fidelidade de Deus? De maneira nenhuma! Seja Deus verdadeiro, e todo homem mentiroso.*

> *Romanos 3:3-4 NVI*

> *Não vos enganeis: de Deus não se zomba; pois aquilo que o homem semear, isso também ceifará. Porque o que semeia para a sua própria carne da carne colherá corrupção; mas o que semeia para o Espírito do Espírito colherá vida eterna.*

> *Gálatas 6:7,8 ARA*

Não podemos comparar o comportamento dos homens ao comportamento de Deus. Apesar do ser humano ter sido criado à imagem e semelhança de Deus, ele se corrompe por muito pouco.   Confiar totalmente em pessoas pode trazer dores difíceis de serem curadas.

Parece que as coisas também não são tão diferentes nos ambientes eclesiásticos. É triste, mas a religiosidade pode mascarar uma personalidade falsa e uma alma doente. É importante que tenhamos cautela ao nos relacionar com uma pessoa que se diz de Deus ou tenha a "aparência de santo de Deus".

Não é a "capa", o perfil ou fala de alguém que deve ser avaliado, mas sim uma história, um testemunho de verdade, caráter e amor. Lembremos que nosso "coração" (sentimentos) pode nos enganar. Ficou comum ver pessoas feridas que deixaram o caminho do Senhor por causa de outros que falavam dEle, mostravam ser religiosos mas viviam uma farsa.

Quero lembrá-los que Deus não tem nada a ver com o comportamento errado de certos indivíduos, ainda que seja um "líder". Quero lembrar que nem todo mundo é igual.

Deus não compactua com nenhum tipo de mentira, engano ou maldade, e quem é de Deus também não. Deus é santo, esse é seu caráter.

Pessoas más podem surgir nas nossas vidas para nos tirar da fé original, atrapalhar o propósito de Deus ou nos matar espiritualmente, acabando com todo um projeto do Pai. Jamais alguém pode aceitar viver esse fracasso, é preciso vigilância para que não nos afastemos do nosso "habitat em Deus". Temos que aprender com as experiências que vivemos e com a que outros vivem. Também é importante enxergar onde fomos enganados para não cairmos de novo nos mesmos erros.

Tudo em nossas vidas deve ser apresentado a Ele em oração, não há como nos esquivarmos disso. Deus não pode explicar o que Ele não fez ou mandou você fazer. Se alguém fez algo ruim com você, não misture Deus com esta bagunça maldita, levante sua cabeça, movimente-se e vá vencer.

Deus coloca pessoas novas na vida da gente, pessoas que virão dEle para nos curar e abençoar.

As aprovações do Senhor são complexas, ao mesmo tempo que simples, claras e gloriosas. Não viva rastros de confusão, mas de paz e convicção, vá em frente, há um novo de Deus chegando para redimir e redefinir a sua história.

AGRADEÇA

1. Agradeça pelas experiências que você obteve através de relacionamentos difíceis.

2. Agradeça porque as ações de Deus para com você são sempre puras, verdadeiras e repletas de propósitos.

3. Agradeça porque Ele colocará pessoas lindas e verdadeiras na sua vida, pessoas que Ele enviará para te curar e renovar seu viver.

4. Agradeça sabendo que você pode ser essa pessoa renovadora na vida de alguém.

27. A SUPERIORIDADE

O maior compromisso de Deus é com Ele mesmo, com sua palavra e com seus projetos eternos.

Nossos pensamentos e caminhos serão sempre pequenos em relação aos do Senhor.

Em tudo, Deus trabalha muito acima e muito além da nossa psique. Sua palavra e seu Espírito revelam sua "pessoa", mas seu pensar e suas formas de se mover são insondáveis. Ele sempre pensa no melhor e no "extraordinário" para os seus.

A mente humana enfrenta constantes batalhas, um homem sintonizado em Deus é um homem de mentalidade rendida à fé no governo dEle.

É muito valioso sabermos administrar nossos pensamentos, eles são involuntários, mas podem ser escolhidos.

Deus pensa sem limites e pode criar sem limites.

Pensar com fé e sem limites é pensar como Deus.

Devemos ser fiéis a essa mentalidade, servir a humanidade, acreditar nEle e confiar nas colheitas de nossa serventia.

> *Pois os meus pensamentos não são os pensamentos de vocês nem os seus caminhos são os meus caminhos, "declara o Senhor". Assim como os céus são mais altos do que a terra, também os meus caminhos são mais altos do que os seus caminhos; e os meus pensamentos, mais altos do que os seus pensamentos.*
>
> *Isaías 55:8-9 NVI*

> *O coração do homem traça o seu caminho, mas o Senhor lhe dirige os passos.*
>
> *Provérbios 16:9 ARA*

Deus disse que pensa diferente de nós, disse que seus caminhos não são os nossos, são outros, já pensou na proporção destas palavras?

Deus vê tudo por um ângulo muito maior do que o nosso.

Ele pensa mais alto porque vê do alto.

Deus tem "o direito" de nos colocar no caminho que Ele já tinha previsto e nós não enxergávamos.

A mente humana pode crer sem limites, mas precisa ser exercitada nisso.

Mudanças normalmente não são "confortáveis", é possível que Deus faça obras bem diferentes do que planejamos, Ele pode mudar os territórios, os "acompanhantes", as conexões, as estradas, a velocidade dos processos etc. Na verdade, muitas vezes não é Ele que muda, somos nós, que pensamos do nosso jeito, fazemos diferente do dEle e depois temos que recomeçar.

Ah! Como é delicado deixar Deus trabalhar nas nossas estruturas e ao nosso redor!

Ah! Como é válido esperar nEle sabendo que Ele não erra.

Por mais preocupante que tudo pareça, ver Deus à frente de nossas vidas é gratificante. O homem tem prazer no que é rápido, Deus tem prazer no que é completo e perfeito.

O homem quer tudo de uma vez, Deus opera por etapas.

Com Ele não existe o susto, só a operação do planejado.

O que Ele planeja num todo Ele executa em módulos e moldes.

Lembremos que estamos no "baixo", Ele no alto.

Os nossos caminhos não são os dEle, apesar de nossas ações, Ele nos leva a melhores direções, cria novas estradas, instala luzes onde havia falta de visão, vira o jogo e faz o "gol de placa" nos acréscimos da prorrogação.

O percurso é dEle porque o percurso é Ele.

O homem conhece "sua terra" e as coisas dela, mas pouco conhece do "alto e das obras do alto".

O Pai que está acima da terra é também o que posiciona seus filhos em lugares de excelência nunca visto antes.

Nossa pré-disposição em pensar que Ele pode todas as coisas, nos motivará a fazer mais.

Quebre hoje seus limites e voe nos pensamentos e caminhos de Deus. Fale isso para Ele, "viaje com Ele", aceite viver as maravilhas dos seus "caminhos insondáveis".

AGRADEÇA

1.   Agradeça entendendo que Deus sempre pensa maior e mais alto do que você.

2.   Agradeça porque você também pode pensar assim.

3.   Agradeça sabendo que de tudo que Deus pensa e planeja, Ele não erra em nada.

4.   Agradeça se entregando e sintonizando seus pensamentos e caminhos aos dEle.

28. O FOCO

Não devemos permitir que nada nos afaste do poder compensador e restaurador que há no "amor de Deus".

Nossa "relação" com Deus deve nos trazer a certeza que qualquer influência vinda fora do seu amor não poderá nos mover.

Quando encaramos mudanças bruscas, Deus nos deixa passar ventanias e tempestades, mas nos esquiva de estragos maiores arquitetados pelo inimigo. O maior e mais invisível de todos os males é a distância dEle, é a presença das trevas pela ausência da luz. Nada surpreende ao Senhor, Ele sim que surpreende a todos. Ele vê tudo o que é, mas também vê o que será.

Ele é o Senhor dos mistérios, e o desconhecido é seu amigo.

O entendimento do amor de Deus traz vida e "conforto ao nosso espírito". Não podemos aceitar ser capturados pelas provocações e tentações deste mundo corrupto e suas propostas fraudulentas que tentam nos afastar desse amor. Longe dEle vivemos mentiras achando que são verdades.

Quem nos separará do amor de Cristo? A tribulação, ou a angústia, ou a perseguição, ou a fome, ou a nudez, ou o perigo, ou a espada?

Porque estou certo de que nem a morte, nem a vida, nem os anjos, nem os principados, nem as potestades, nem o presente, nem o porvir, nem a altura, nem a profundidade, nem alguma outra criatura nos poderá separar do amor de Deus, que está em Cristo Jesus, nosso Senhor!

Romanos 8:35,38,39 ARC

...mas não afastarei dEle o meu amor; jamais desistirei da minha fidelidade.

Salmos 89:33 NVI

Abrir mão do amor de Deus é abrir mão dEle, assim como abrir mão dEle é abrir mão do seu amor.

Por mais afastado que alguém possa estar, nunca é tarde para um reinício. Quem faz assim não começa do zero, começa com a experiência de onde parou.

A religião não leva ninguém para este lugar de amor, Jesus sim, Ele é o exemplo de amor oferecido por todos.

Ele é a personificação do amor que lança fora o medo.

Onde não há paz há agonia, onde não há amor há rejeição e auto rejeição.

Onde a vida de Deus não se manifesta, a morte pode reinar. Se conformar com estar morto espiritualmente é inadmissível, é morar na cidade do horror.

E quando a tribulação te provocar?

E quando a escassez for longa e te cercar?

E quando a perseguição for grande?

E quando a batalha aumentar dentro de casa?

E quando "o cenário" parecer perigoso e impossível?

E se seu corpo for arrastado para um lugar de desânimo e desistência?

É na persistência por superar as lutas, que vencemos no Espírito Santo. É nesta "pessoa" que somos reposicionados e recebemos o reviver. Nele está o escape das "armadilhas do desistir" que nos persegue.

Se ficarmos olhando para circunstâncias ainda não esclarecidas, andaremos abraçados com nossos pesadelos. Isso nos tira do foco e nos leva ao buraco, no entanto, esta nunca pode ser nossa opção, Deus é. Ele foi, é e será a resposta ao que clamar. Vamos ficar com Ele, não com o que as pressões seculares querem nos fazer.

Vamos ouvir o que Ele tem dito e olhar para o que Ele tem nos apontado: o seu amor. Este é o tempo de recebermos mais e mais deste manto curador.

AGRADEÇA

1.   Agradeça pelo amor de Deus que te é dispensado.

2.   Agradeça porque esse amor tem poder para te cobrir, proteger e levar para junto dEle.

3.   Agradeça recebendo a verdade de que nada que exista, ou pode vir a existir, deverá te fazer afastar do amor de Deus que está em Cristo Jesus.

4.   Agradeça sendo um agente deste amor, e traga para junto dEle quem um dia se afastou.

29. A PROMESSA

É olhando firme para as promessas do Senhor que renovamos nossos sonhos e recebemos vigor para continuar.

As promessas de Deus são maiores do que nós mesmos, elas são as revelações do que é dEle para o nosso pessoal, Ele zela por cumprí-las, o que vai depender de nós.

Deus não põe "seus selos" em erros, maldades e vaidades egoístas do homem, mas ama honrar a vida e o chamado daqueles que o buscam em espírito e em verdade.

O tempo é marca garantida para o cumprimento de suas promessas, é dentro do tempo que Ele aperfeiçoa seus escolhidos. Os "toques" de Deus expõem os detalhes de sua vontade e aperfeiçoa seus propósitos. São os vasos sendo moldados e trabalhados nas mãos do oleiro até tomarem o "formato ideal" e a "estatura de varão perfeito".

> *Porque toda quanta promessa há de Deus são nEle sim; e por Ele o Amém, para glória de Deus, por nós.*

> *2 Coríntios 1:20 ARC*

> *O Senhor não demora em cumprir a sua promessa, como julgam alguns. Pelo contrário, ele é paciente com vocês, não querendo que ninguém pereça, mas que todos cheguem ao arrependimento.*

> *2 Pedro 3:9 NVI*

É bom saber que o Senhor tem "nEle"o sim e o amém para cada um de nós. É bom saber que, quando o tempo do cumprimento de "suas" promessas chega, ninguém pode impedir. É bom ver ele se movendo em favor de um filho que plantou lágrimas e renúncias para viver a realização de seus projetos. É tremendo vê-lo fazer o que parecia apenas virtual.

Quando Ele quer agir na vida de um "homem", uma família ou um lugar, Ele passa por cima do mundo e suas circunstâncias.

A fidelidade de uma pessoa a Deus é assim: fica depositada no coração dEle e o dia chega em que "o bilhete" deste fiel é premiado pela trindade.

Avivamos a fé nos apegando ao "Rema" de Deus, palavra viva e pronta do tempo dEle para o nosso tempo. Não sabemos os dias de manifestação de seu "agora", por isso ouvir essa palavra é aguardar a exatidão de "suas" promessas.

Nossa fé move uma diversidade de obras, mas não existe movimento no céu sem movimento nosso na terra. A palavra é viva, como vivo deve estar Jesus em nosso espírito, nos conduzindo à missão pela qual existimos.

Não podemos ouvir as vozes opressoras do sistema, precisamos ouvir "a voz" de Deus nos dizendo onde está o seu sim e o seu amém. Tudo fora disso pode vir a ser nada.

Não podemos nos tornar impedimento para as promessas dEle, ao contrário, temos que correr em direção a elas, não importa o que aconteça. A gente age e Ele honra, é assim que funciona.

Estar em Cristo não é apenas reconhecê-lo como salvador, é deixá-lo ser o condutor do nosso ser, é atender a sua voz e "remar" para o alvo convicto de suas confirmações. Coloque-se neste lugar de vitória, Deus mais do que ninguém quer ver seus filhos triunfando.

AGRADEÇA

1. Agradeça pelas promessas que Deus já cumpriu, volte-se para onde está o sim e o amém dEle para você.

2. Agradeça pelos "selos" (aprovações) que o Senhor tirou de algumas áreas de sua vida e você não entendeu quando Ele assim o fez.

3. Agradeça pelas promessas que Deus "está reativando" nas regiões celestiais sobre tua vida.

4. Agradeça pelas promessas que irão se cumprir, tanto em sua vida quanto na vida daqueles pelos quais você tem orado.

30. O ADMINISTRAR

Aquele que administra os céus, as estrelas, a terra e o mar, é o mesmo que nos capacita a administrar nossos mais distintos papéis na sociedade e na vida.

Deus nos dotou de inteligência, discernimento e poder de ação. Ele nos deu a vida para que com zelo e atitudes inteligentes possamos administrá-la. É importante termos equilíbrio e "saúde" em todas as áreas, ainda que tenhamos que pedir ajuda. Quando não mantemos o controle das coisas, corremos o risco de ser controlado por elas.

Não podemos nos conformar com o deformado, precisamos ser transformados e formatados segundo a imagem daquele que sustenta "o mundo" de maneira ordenada.

O sonho de Deus é ver nossas vidas "limpas", planejadas, estruturadas, edificadas, bem administradas e prósperas para Glória dEle.

*... se alguém administrar, administre
segundo o poder que Deus dá, para que em
tudo Deus seja glorificado por Jesus Cristo,
a quem pertence a glória e o poder para todo
o sempre. Amém"*!

1Pedro 4:11 ARC

*...Eu sou o Senhor, o teu Deus, que te
ensina o que é útil e te guia pelo caminho em
que deves andar.*

Isaías 39:17 ARA

Deus é o administrador do universo, Ele nos
criou com capacidades de gerar, dirigir, dominar, criar
e construir. O comodismo mata os planos de Deus na
vida de um "homem", o medo de mudar também. A
vida nos foi dada por Deus, mas nós somos quem a administramos.

Ninguém pode administrar para perder, é preciso ganhar, os manejos para o crescimento precisam ser
reais assim como os resultados.

A nossa parte a ser cumprida pode parecer insig-
nificante diante daquilo que Deus vai fazer, mas, ainda
que Deus faça 99 % de tudo e nossa parte seja apenas
1%, ainda assim, nossa responsabilidade é de fazer
100% daquele 1%.

Quanto mais rápido e com maior excelência cum-
primos o nosso 1%, mais Deus nos confia conquistas
e favores. É o pouco do nosso agir em Deus virando o
muito do fluir dEle. Isso é válido para todas as áreas de
nossas vidas, seja no trabalho, na família, no ministé-

rio ou na sociedade. Deus nos vê quando ninguém está vendo, pode estar certo disso.

Administrar a vida é colocá-la dentro de planejamentos, focos, metas, parâmetros, limites, bases, governo, cobertura, cura, submissão, parcerias, paz, prudência, solidez, decisões bem pensadas etc.

Ninguém vai fazer a parte que é nossa, seja no reino de Deus, seja na terra. Assumimos responsabilidades e compromissos com o homem, devemos assumí-los também com Deus e com nós mesmos.

Administrar nosso eu é difícil, administrar nosso tempo talvez mais ainda.

Uma empresa bagunçada em sua administração é passível de fracassos, uma vida descompensada e descompromissada também. É importante pensarmos nas consequências de uma queda, é mais fácil manter o que temos administrando para crescer, do que reconstruir a vida após um desastre.

Ponto básico: quem não se conhece, não vê como anda, não reconhece onde está pisando, ou não sabe para onde está indo, tende a cair e se machucar. Temos que ser humildes, rever nossos conceitos, valores, e mudar onde for preciso. Nunca é tarde para resgatarmos o tempo perdido, nunca é tarde para nos refazermos ou terminarmos o que começamos e não terminamos. Deus é Senhor dos começos, dos meios e dos fins. Administrar não se resume a papéis ou a finanças, precisamos administrar nosso ser e o que vivemos.

O que não administramos, corremos o risco de perder.

Para vivermos uma vida de qualidade devemos administrar nosso corpo, nossa mente, nossos olhos, nossa boca, nossa casa, nossa empresa, nosso tempo, nossa fé, nossa relação com Deus e com as pessoas.

É do cuidar e administrar que surgem as ampliações da vida.

AGRADEÇA

1.   Agradeça sendo forte para administrar suas perdas.

2.   Agradeça entendendo que Deus te dá condições e capacidade para administrar áreas que estavam sem controle.

3.   Agradeça acreditando que você vai aprender a administrar obras novas que te levarão ao cumprimento pleno do propósito divino.

4.   Agradeça ensinando ao seu próximo tudo que Deus e a vida tem te ensinado a administrar.

31. A DECISÃO

Ele nos dá a força que precisamos para tomar decisões difíceis e necessárias, decisões que poderão doer, mas nos farão viver, crescer, mudar e prosperar.

Deus nos deixa viver experiências novas para que possamos subir de nível. É aprendendo com o novo que assumimos posturas diferentes e melhores do que tínhamos.

O que parecia problema ou dificuldade, pode acabar virando uma chave que vai acionar hábitos construtores de saúde e poder para o nosso ser. É a capacidade de crescer confrontando nossas dificuldades e as "obras estranhas".

Deus nos quer decididos a enfrentar o que parece invencível, Ele nos encoraja e dá força para perseverar até que testemunhemos dEle.

Ele nos faz decididos a decidir porque sabe que não pode decidir por nós.

Ele põe em nós a decisão de mudar, nos ensina a lutar, vencer a guerra, contemplar a vitória, levantar o troféu e viver as proezas.

A destra do Senhor se exalta, a destra do Senhor faz proezas.

Não morrerei, mas viverei; e contarei as obras do Senhor.

Salmos 118:16-17 ARC

Confie no Senhor de todo o seu coração e não se apóie em seu próprio entendimento; reconheça o Senhor em todos os seus caminhos, e Ele endireitará as suas veredas.

Provérbios 3:5,6 NVI

Derrota não é opção para ninguém, muito menos para quem tem relação com Deus. Derrota não é um caminho com perdas, é o destino dos que desistem e aceitam morrer no caminho, é parar aceitando o prejuízo como se fosse eterno, esquecendo que tudo passa.

O amor e as bênçãos do Deus Pai nunca acabam, se renovam. Ele é nossa fonte eterna de "lucros", nunca de prejuízos.

Carregamos sua essência, Ele é quem mais se interessa pelo nosso bem, se faz vivo em nós para que estejamos vivos nEle. Devemos ter expectativas de glória, não de fracassos.

Precisamos crer em proezas, não em pobrezas, isso é o que satanás quer nos mostrar, ele só pode mostrar mentiras porque é tudo que ele tem.

A fé traz os recursos e as condições para o milagre.

Se vivemos uma vida digna diante de Deus e sabemos quem Ele é, devemos aguardar respostas, devemos seguir em direção ao que podemos e usar o que está em nossas mãos.

Parar nunca, retroceder jamais, avançar sempre, essa é a melhor decisão, é prosseguir, não importa o que aconteça.

Sem lutas não existem vitórias e vitórias só vem com perseveranças em meio às lutas. Quando lutamos com Deus ao nosso lado temos que ter em mente que nada pode nos abater, é preciso continuar ainda que, por algum momento em "câmera lenta".

Quando os resultados não forem muito aparentes, ouvir ao Senhor fará toda diferença no processo. Sair da vida para a morte pode começar com uma simples decisão que tomamos, sair da morte para a vida também.

Saber onde estamos e que as mãos de Deus estão sobre nós é o principal fator de sobrevivência e motivação.

Temos que acreditar em nós mesmos quando parece que ninguém mais acredita. Estamos vivos para cumprir propósitos que muitas vezes nem discernimos a dimensão.

Descobriremos as bênçãos de novos territórios se dermos passos para lá na obediência a Deus.

Vamos nos levantar e sair do meio dos mortos, Deus nunca erra, nós é que erramos quando nos desligamos do seu caminho ou nos prostramos fora dEle.

Ele não pode abonar erros, nossas decisões corretas nos farão viver o que nunca vivemos antes.

AGRADEÇA

1.   Agradeça crendo que o Espírito de Deus te faz capaz de tomar todas as decisões que você precisa.

2.   Agradeça pela misericórdia de Deus e peça perdão a Ele pelas decisões erradas que já tomou.

3.   Agradeça crendo que os cenários que estão diante dos seus olhos irão ser clareados pela luz de Cristo, te mostrando exatamente onde não tomar decisões precipitadas.

4.   Agradeça pelo que irá testemunhar amanhã, depois de colher os frutos de suas decisões corretas "em Deus".

32. O ARREPENDIMENTO

Quando nos deparamos com sua palavra, somos confrontados, enxergamos nossos erros, aceitamos a verdade, nos arrependemos, convertemos e somos limpos.

Arrependimento gera mudanças, assim como mudanças podem trazer arrependimento. Arrependimento não é remorso, é transformação de mente.

O arrependimento pelo que fizemos pode ser perdoado, o arrependimento pelo que ainda não fizemos, não deve nos fazer chorar, mas sim nos fazer agir. O arrependimento pode vir pelo reconhecimento de um erro ou por um susto, um choque, mas Ele cura, regenera, redireciona e transforma realidades. Deus usa a palavra, usa amigos, situações e todos outros diferentes meios para no Espírito dEle nos fazer arrepender, converter e reviver.

> *Arrependei-vos, pois, e convertei-vos,*
> *para que sejam apagados os vossos pecados,*
> *e venham, assim, os tempos do refrigério*
> *pela presença do Senhor.*
>
> *Atos 3:19 ARC*

> *Pois não me agrada a morte de nin-*
> *guém; palavra do Soberano Senhor. Arrepen-*
> *dam-se e vivam!*
>
> *Ezequiel 18:32 NVI*

O ser humano parece querer viver "o tudo" sem fazer nada do que deve. Deus está sempre querendo levar-nos a um lugar de crescimento e transformação, temos que aceitar isso e tomar novas iniciativas. Ele não nos aponta direções em vão.

O ponto de partida para uma vida nova é o arrependimento, ele começa com "sinalizadores interiores", como se fossem luzes que acendem no painel da nossa mente e nos fazem ver o que nos tem sido prejudicial, sejam coisas, pessoas, comportamentos, lugares, negligências, influências etc.

Muitas vezes, direta ou indiretamente, o ser humano fica preso em ciclos destruidores que não quer admitir. Cedo ou tarde, ele terá que colocar as coisas na balança, se arrepender e mudar.

Neste caso, ajustes não resolvem, eles seriam apenas mais uma forma de adaptação ao erro, ou, uma outra tentativa de fazer o errado dar certo, e não uma conversão genuína. É quase como tapar o que na verdade precisa ser descoberto, desnudado e curado.

A palavra arrependimento está ligada a *metanoia,* vem do grego, significa: conversão, mudança de mentalidade, pensamentos, direção etc.

Há prazer no coração de Deus em nos ver apagando erros e pecados do passado e do presente, assim também como em nos ver escrevendo uma história nova para o futuro.

Há alegria no coração dEle por recebermos seu perdão e amor. Se Judas tivesse se arrependido "certo", ele não teria se matado, ele receberia o perdão de Jesus e teria um final de vida diferente.

Muita gente tem aceitado viver com venda nos olhos, quanto mais retiramos das nossas vidas o que nos impede de crescer, mais a vida fica leve, as forças são revigoradas e as grandezas de Deus se fazem intensas.

Somos completamente débeis para enfrentar gigantes na nossa natureza humana, é na presença do "Rei" e no poder do Espírito Santo que reconhecemos nossos erros, mudamos de direção, nossos pecados vão sendo apagados e nossa alma encontra vida.

AGRADEÇA

1.   Agradeça por ainda ter tempo para se arrepender.

2.   Agradeça por poder enxergar os erros que não enxergava, por se converter e assumir suas responsabilidades.

3.   Agradeça porque pelo seu arrependimento e mudança de direção, você poderá reescrever seu amanhã e viver os refrigérios de Deus.

4.   Agradeça levando outros ao conhecimento da verdade e ao arrependimento genuíno.

33. A CURA

Ele é quem pode nos sarar, sarar nossas feridas, nossas deformidades, nossa casa e nossa terra.

Deus quer chamar o "homem", quer nos ouvir, sarar e redirecionar. Tudo aquilo que está fora de um formato ideal ou saudável, é visto por Ele com muita clareza, e também com tristeza. Assim como o caminho do homem é cheio de tortuosidades, o caminho de Deus é perfeito. A impressão que dá é que as pessoas se acostumaram a "dormir abraçadas com o lixo", acordar com mau cheiro e viverem seus dias de forma bagunçada, muito do que para elas é admissível, para Deus não é. Nenhum pai gosta de ver um filho vivendo uma vida inadequada, desastrosa e de mau exemplo.

É muito importante vermos o "mundo" com os olhos de Deus, não aceitando viver qualquer tipo de vida, principalmente se ela estiver fora dos padrões sagrados. Ninguém perde por ser melhor, só se ganha, ninguém perde por ouvir a Deus, só cresce.

Diante dEle somos levados a boas novas de "sanidade", conserto e santidade.

> *Se o meu povo, que se chama pelo meu nome, se humilhar, e orar, e me buscar, e se converter dos seus maus caminhos, então, eu ouvirei dos céus, perdoarei os seus pecados e sararei a sua terra. Estarão abertos os meus olhos e atentos os meus ouvidos à oração que se fizer neste lugar. Porque escolhi e santifiquei esta casa, para que nela esteja o meu nome perpetuamente; nela, estarão fixos os meus olhos e o meu coração todos os dias.*

> *2 Crônicas 7:14,16 ARA*

> *Respondeu-lhes Jesus: Os sãos não precisam de médico, e sim os doentes.*

> *Não vim chamar justos, e sim pecadores, ao arrependimento.*

> *Lucas 5:31,32 ARA*

Pessoas estão perdidas na soberba, arrogância e orgulho pela falta de humildade e rendição a Deus. Quantos estão mortos assim e não se enxergam!

Quantos acham que porque possuem coisas vivem a aprovação de Deus! Quantos estão a anos dormindo em areias movediças enquanto suas vidas e suas casas afundam no meio de tudo que têm! Quantos dolorosamente aceitam se humilhar como escravos de alguém, mas ainda não conseguiram se entregar a Deus!

Há um calor e um clamor no coração de Deus, Ele quer sarar a terra, quer sarar seus filhos, famílias, cidades e nações.

Apesar do poder coletivo de Deus para o universo, tudo começa no nosso individual com Ele.

Deus quer curar o enfermo no corpo e o oprimido na alma, quer curar quem se vê podre, mas se veste de hipocrisia e glamour.

A falta de Deus no governo da alma humana tem feito as pessoas gemerem com dores de tudo. Quantos se vêem perecendo, mas não fazem sua parte para sair disso?

Deus tem chamado seu povo ao conhecimento e à verdade.

Um peixe só sobrevive dentro da água. Jesus é o nosso "lugar de sobrevivência", perdão, purificação, cura e vida.

Somos povo de Deus para nos convergir ao que é dEle.

Somos renovados nEle pela oração sincera (sem cera) e sem máscaras. Quando oramos assim seu Espírito nos sara.

Deus fala de várias maneiras, mas sua palavra é uma só, é o manual que Ele deixou escrito, é Ele falando dentro de nós, seja em alto e bom som ou num som baixinho e suave. Importa é ouvi-lo (obedecê-lo).

Sua voz não é como a do homem, ela não fere, mas protege.

Deus não se preocupa em nos colocar onde a obra já está pronta, Ele prefere o passo a passo.

Muitas vezes, estamos precisando é orar mais, muitas vezes o que está nos faltando é atitude.

O Senhor "revela sua face" aos corajosos que se humilham, temos que nos dobrar diante de quem pode nos sarar.

Com Ele os planos podem vir a mudar, mas é impossível as coisas darem erradas.

Não podemos esperar nos outros, não podemos esperar para agir e fazer nossa parte.

É em nossa própria mão que está a chave da porta da esperança.

O "ambiente" do propósito de Deus quer nos abraçar para o que é pleno, se não atentamos para isso perdemos a vida e vivemos no círculo do nada, onde rodamos, cansamos e nada acontece.

Fugir desse propósito é fugir de Deus, é viver longe dos seus sonhos, é se cobrir de uma farsa e nunca realizar o que podemos cumprir com as bênçãos dEle.

O Espírito Santo nos chama para estar com o Pai, Ele nos cura em nome do Filho e sara nossa terra pelo seu Poder.

AGRADEÇA

1.   Agradeça se humilhando diante de Deus e se rendendo.

2.   Agradeça crendo que Ele te sara por inteiro.

3.   Agradeça confiando que Ele é poderoso para sarar sua casa e sua terra.

4.   Agradeça entendendo que Ele pode ter escolhido e santificado você e os seus com propósitos eternos que vão sarar vidas e famílias.

34. O INABALÁVEL

Quando confiarmos plenamente no Poder do Espírito de Deus, nos faremos imbatíveis como uma grande montanha.

Quem não sabe confiar em Deus age como quem desconfia de sua autoridade e soberania.

A confiança em Deus traz descanso e liberta o homem do estresse avassalador. É importante estarmos juntos de quem tem fé e crê em Deus. Nosso círculo de "amizades" pode ajudar a elevar ou abater a nossa fé. A Bíblia diz que as más conversações corrompem os bons costumes.

Quando você "aceita" falações e pensamentos incrédulos de alguém, essas palavras podem te contagiar e abater.

As heresias estão soltas por aí, mesmo sabendo que nós somos quem devemos influenciar a terra com a luz de Cristo, é importante termos cuidado com ambientes que de várias maneiras podem sutilmente distorcer o nosso credo se não houver vigilância. Existem muitos hipócritas falando de Deus e em nome dEle, que triste!

Precisamos ser como um grande monte, que cercado por outros, proclama Jesus, vive sua palavra e não se move da verdade.

Os que confiam no Senhor serão como o monte Sião, que não se abala, mas permanece para sempre. Como estão os montes à roda de Jerusalém, assim o Senhor está em volta do seu povo, desde agora e para sempre.

Salmos 125:1-2 ARC

Por isso, vistam toda a armadura de Deus, para que possam resistir no dia mal e permanecer inabaláveis, depois de terem feito tudo.

Efésios 6:13 NVI

Nunca é tarde para estarmos alicerçados e firmados no lugar onde o Senhor nos quer, isso vale para todos. Estar em Deus e no seu querer é estar guardado e protegido em lugares espirituais. Às vezes, ao longo da vida aprendemos que o melhor que podemos fazer é não se mover, não sair do lugar e do propósito, até que tudo vá acontecendo conforme "Deus diz".

Existe tempo para tudo, para os rompimentos, milagres e respostas inexplicáveis também. Descansar confiando é a solução. Aquele que tem o planeta na palma de suas mãos fará o mundo rodar e nos servir com o que é nosso.

Muitas vezes nos cansamos tentando "ajudar Deus" naquilo que na verdade é um processo dEle, é o plano celestial sendo vivido no natural.

Um monte não se move da terra onde está, ele "curte e vive" todos os dias, as belezas da natureza a volta dele. O Deus que cerca e governa os montes e os vales, está ao redor do povo que nEle confia.

Ele impede o mal de nos tocar, cega os inimigos e nos mantém fora do alcance deles.

Sua autoridade supera tudo, seu reino não tem fim e sua glória dissipa a morte.

Nosso lugar é aqui, estabelecidos em Deus com Cristo, onde fomos chamados. Se aí estamos, resistir é mais significante do que lutar em vão e sem direção.

Sejamos como o monte Sião, firmes, sustentados pelo alto e sem nos deixar abalar pelos dias difíceis.

AGRADEÇA

1.   Agradeça pelo que já suportou e ainda consegue suportar, sabendo que, o resistir pode ser mais importante do que lutar pelo nada.

2.   Agradeça crendo que está recebendo de Deus a fortaleza e a segurança de um grande monte.

3.   Agradeça abrindo os olhos e passando a admirar a natureza de Deus que te cerca.

4.   Agradeça entendendo que assim como um monte está no meio de outros, você está no meio de pessoas que te assistem e são testemunhas de sua força.

35. A CASA

Ele é a base forte para tudo e todos os ambientes. Sobre sua palavra mantemos nossa casa viva, de pé e saudável.

A atitude mais sábia de um "homem" é deixar Deus ser o fundamento que dá suporte à sua família. Deus, ao nos dar uma casa, Ele nos dá tudo, dá pessoas para amar e cuidar, dá território, recursos, água, cama, luz, muros, quartos, cobertura, mesa, acabamento, jardim, banho etc.

Imagine esses ítens numa linguagem espiritual, de verdade. Ele provê tudo, mas nós somos quem devemos manter a casa de pé e protegida através da prudência. Fazemos seguro de nossos carros e propriedades, porque não assegurar nossas famílias no único lugar espiritualmente seguro?

Mais valioso que a casa é o lar, uma casa se compra ou se constrói com dinheiro, já um lar se forma com amor, dedicação, educação, caráter, fidelidade, verdade, companheirismo, unidade, concordância etc.

Portanto, quem ouve estas minhas palavras e as pratica é como um homem prudente que construiu a sua casa sobre a rocha.

Caiu a chuva, transbordaram os rios, sopraram os ventos e deram contra aquela casa, e ela não caiu, porque tinha seus alicerces na rocha.

Mateus 7:24,25 NVI

Pois quem é Deus além do Senhor? E quem é Rocha senão o nosso Deus?

2 Samuel 22:32 NVI

Nossa casa é o ambiente mais precioso da nossa vida, é também onde normalmente passamos a maior parte do dia. É o lugar que mais precisamos valorizar, lugar onde a atmosfera deve ser tomada por Deus e pelo que vem dEle.

Só Deus pode nos capacitar a cumprir nosso papel no lar com excelência. A palavra dEle tem instruções para cada um, mas o respeito, o perdão e a renúncia, são chaves mestre para todos, elas curam corações e abrem "novos ambientes".

É melhor ser feliz do que querer ter razão.

Uma família que "pratica e vive" a palavra de Deus é uma casa alicerçada na rocha, ela recebe ataques, mas não desmorona porque se firma no Deus que é amor. Praticar a palavra é dar respostas do reino sobrenatural no reino natural, é vencer tempestades fazendo uso legítimo das escrituras sagradas.

A bíblia é a fonte inesgotável da sabedoria que contém tudo que uma família precisa para se tornar estruturada, unida, próspera e abençoada.

Seguir e obedecer aos mandamentos divinos dará vida a todos, o exemplo deve começar pelo pai, sacerdote da casa, a mãe por sua vez, exercerá um enorme poder de influência no lar e nos filhos, que diariamente "assistirão" o comportamento dos cônjuges.

A concordância é importantíssima para o casal, a leitura da bíblia, a oração, o culto e os momentos de comunhão na mesa, gerarão vida na família e em tudo.

Assim, os filhos estarão crescendo em Deus e sendo preparados para enfrentar o "mundo" através dos exemplos e princípios que primeiro receberam em casa.

Por mais difícil que possa ser o comportamento de alguém da família, vale a pena lembrar que nossa luta verdadeira não é contra pessoas, mas sim contra espíritos das trevas que encontram brechas para agir na vida das mesmas.

A paciência, compaixão e misericórdia deverão permear a todos, ainda que não seja fácil. Este é o lugar principal onde somos treinados e provados por Deus para praticar o domínio próprio, a paciência e o amor.

A família deve se manter atenta e vigilante.

Ninguém pode derrubar uma casa que Deus governa, busque por isso, busque fazer a sua parte.

AGRADEÇA

1.	Agradeça por saber do risco que você corre se for imprudente, pratique a palavra de Deus e evite acidentes na sua família.

2.	Agradeça pedindo ao Senhor a sabedoria necessária para te fazer capaz de cumprir seu papel no lar.

3.	Agradeça crendo que as estruturas de sua casa estão sendo cada vez mais firmadas na verdade do Evangelho.

4.	Agradeça por ter o Senhor Jesus não só como rocha que sustenta a sua casa, mas também como habitante dela, fazendo todo universo ver a razão pela qual ela está de pé e saudável.

36. A ALEGRIA

Um pai faz o possível para ver seu filho livre de agonias e tristezas, Deus também. Ele nos convida a desfrutar da verdadeira alegria que seu Espírito oferece.

Deus não quer nos ver abatidos, cabisbaixos, desanimados, pensando só em problemas e achando que tudo vai dar errado. Jesus cravou nossas dores na cruz, precisamos decidir "abandoná-las" e morrer para aquilo que quer nos matar. Sua palavra é o comando todo-poderoso dos céus e a verdade que traz o "bom ânimo" para os moradores da terra.

Nada deve interferir na voz de vida contínua que vem do Senhor para nossos corações, nada pode entrar no meio, ela precisa encontrar guarida direta em nossa audição, imaginação, visão e fala, assim permanecendo e governando nosso eu.

A alegria de Deus nos capacita a não depender de coisas externas, terrenas e passageiras, mas sim viver o eterno: Ele em nós. Precisamos ser como um televisor do céu, transmitindo os canais da alegria de Deus para nós mesmos e para o mundo. Temos que frequentar o lugar secreto, falar com o Pai, manter os "portais do céu" abertos sobre nós, absorver as alegrias da eternidade e torná-las explícitas pelo nosso testemunho.

Alegrai-vos sempre no Senhor, Outra vez digo: alegrai-vos

Filipenses 4:4 ARA

O coração alegre aformoseia o rosto, mas com a tristeza do coração o espírito se abate.

Provérbios 15:13 ARA

Deus não quer nos ver tristes, mas gratos e felizes. Ele nos ama como o melhor pai do mundo, e tem uma história de superação linda para todos. Não encontraremos essa alegria viva nos homens ou em coisas, se pensarmos que sim, sofreremos.

A mensagem do primeiro versículo é clara, alegremo-nos "sempre no Senhor", em Deus, todos os dias, todos os momentos, no que Ele tem sido e no que quer ser, no que tem feito e pode vir a fazer.

"Viver alegria" é viver um nível maior e mais alto do que apenas viver, é viver com a expressão do céu, a revelação do filho de Deus. São as imagens do Espírito Santo vistas através da igreja. A palavra diz alegrai-vos (plural), ou seja, é para mais de um, é para todos que aceitam viver isso.

Precisamos alegrar a vida de quem precisa, precisamos estar junto de quem se alegra com nossas alegrias.

Precisamos curtir e comemorar nossas alegrias do pouco e do muito. Alegria não é apenas sorrir, sorrir faz muito bem, mas é um ato aparente e externo. Alegria é reconhecer a vida e sorrir por dentro.

É uma vida de gratidão e celebração a Deus por quem Ele é, independente do que aconteça. São as obras do espírito vencendo as da carne.

A alegria é uma exposição da imagem do Cristo que venceu, atuando naqueles que nasceram de novo.

O verso também diz:

Outra vez vos digo: alegrai-vos, dando ênfase a falar a mesma coisa duas vezes, ou seja: tanto de dia quanto de noite, tanto por dentro quanto por fora, tanto pelo ontem quanto pelo amanhã, tanto por nós quanto pelos outros.

Vivamos alegres as grandezas da fé, Deus é a fonte e o beber da alegria do homem.

AGRADEÇA

1.   Agradeça pelas alegrias que já viveu, e pelas pequenas alegrias que tem vivido.

2.   Agradeça se conscientizando que o Deus que habita em você, é a sua verdadeira fonte de alegria, nada exterior pode vencer isso.

3.   Agradeça crendo que, novas alegrias, o Senhor irá te proporcionar.

4.   Agradeça por poder gerar alegria na vida de outros.

37. O MEDO

Deus fez o homem para viver em ousadia, cele-bração e paz, não debaixo de pavor, opressão e medo.

Medo é fé ao contrário.

O medo faz tudo parecer errado e escuro, quando sabemos que na verdade não é, ele pode tapar a visão natural do "homem" e a visão sobrenatural de Deus naquele "homem".

Ninguém é isento de sentir medo, mas todos podem lutar contra ele e vencer. Pode ter que vir a ser um exercício, mas será de extrema validade.

A bíblia nos fala para não temer praticamente 365 vezes, era Deus nos alertando que o medo viria qualquer dia, mas nós não poderíamos ceder a ele, nem tampouco aceitá-lo.

Não se pode acostumar a viver uma vida de medo, é preciso reagir com força contra isso, o medo vem para nos fazer parar e impedir de avançar, por isso precisa ser enfrentado e rejeitado.

Existe um tipo de "medo bom", é o medo de errar, fazer o que não convém, desobedecer a Deus e agir com imprudência.

Esse medo é válido porque pode nos tirar de problemas desnecessários, armadilhas, pecados (errar o alvo) e destruições.

> *Porque Deus não nos deu o espírito de temor, mas de fortaleza, e de amor, e de moderação.*
>
> *2 Timóteo 1:7 ARC*

> *Por isso não tema, pois estou com você; não tenha medo, pois sou o seu Deus. Eu o fortalecerei e o ajudarei; Eu o segurarei com a minha mão direita vitoriosa.*
>
> *Isaías 41:10 NVI*

Nada como ver um lugar de angústia ser transformado em ambiente de paz.

O reino das trevas tenta nos lançar medos e temores, Deus nos quer vivendo o poder de Cristo, o repouso do seu Espírito, a autoridade da sua palavra e as obras da fé.

O medo é a maior arma de satanás contra nós depois da mentira.

Um dos versículos acima é claro quando diz que Deus não nos deu "espírito do medo", ou seja, há um espírito de medo opressor que deve ser repreendido.

É importante "enxergarmos os ataques" deste medo, a falta de uma resistência e reação a ele pode fazer a "bola de neve" se tornar uma avalanche. A oração é tudo, e escutar um louvor também pode ajudar. A bíblia diz que o louvor liberta, nenhum mal resiste a um ambiente de adoração ao Senhor. Devemos tirar forças da fraqueza e proclamar palavras de poder "aos céus".

Deus respalda aquilo que acreditamos, mas damos respostas ao mundo espiritual com a boca. É confessando em voz "alta" o que cremos ou o que lemos nas escrituras sagradas que o espírito da palavra se move.

Jesus disse que, em nome dEle, expulsaríamos demônios, eis aí a importância de usarmos nossos lábios para repreender males, incluindo o medo.

A paz de Jesus é gratuita, inigualável e soberana para destronar os mais altos níveis de aflição da alma humana. Só uma alma rendida a Deus será capaz de experimentar esta graça.

Esse é o desejo do Deus Pai para com os seus filhos: arrancá-los do medo que não os deixa crescer e prosperar, e colocá-los nos seus braços de poder.

Faça uma breve análise do que você tem vivido até aqui, depois faça uma longa análise do que gostaria de viver.

As "portas dos céus" estão abertas, Deus pode tirar qualquer pessoa de um estado de medo, e colocá-la livre para voar e atravessar novas fronteiras em Cristo.

Volte a sonhar, volte a acelerar, vá em busca de cumprir seu propósito, sabendo que o Senhor é poderoso para te abençoar.

Em nome de Jesus o homem vai a Deus, clama e Ele responde, em nome de Jesus o homem pede ajuda, se rende, e Deus o faz livre para vencer.

Tenha temor a Deus, seja livre do medo, viva o que o Reino de Deus tem para você, viva justiça, paz e alegria no Espírito Santo.

AGRADEÇA

1.   Agradeça sendo livre de todo e qualquer tipo de medo pelo poder do nome de Jesus.

2.   Agradeça avançando "forte" para os projetos de vida que o Senhor te prometeu.

3.   Agradeça crendo que o Senhor te posiciona em lugares de paz, equilíbrio e descanso, "nunca" de medo.

4.   Agradeça exercendo autoridade espiritual de vida em favor de quem sofre pelo espírito do medo.

38. O ERRO

O caminho de Deus não é falho como os nossos, ele tem origens exatas, estradas exatas e destinos exatos.

O caminho dEle é de perfeição e certezas, apesar de as vezes parecer estranho e fora de padrão.

Deus trabalha respaldado no que Ele mesmo projeta, cria e determina, não no que o homem pensa premeditadamente.

Sua ação soberana nos espanta por um momento, mas depois mostra o porquê e os resultados de tudo. Deus se move fora de limitações e regulamentos, Ele age primeiro no campo do invisível e escondido, mas depois permite que a excelência do seu poder seja revelada e reconhecida até mesmo pelos incrédulos que nos criticam.

Andar no caminho dEle é andar confiante no que Ele mostrou, é andar onde sabemos que Ele disse que estaria, é permanecer na palavra de aprovação, vivendo o propósito.

> *O caminho de Deus é perfeito, a pala-*
> *vra do Senhor é provada, Ele é escudo para*
> *todos os que nele se refugiam.*
>
> *Salmos 18:30 ARA*

> *Então, me invocareis, passareis a orar*
> *a mim, e eu vos ouvirei. Buscar-me-eis e me*
> *achareis quando me buscardes de todo o*
> *vosso coração.*
>
> *Jeremias 29:12,13. ARA*

Assim como fazemos refeições básicas e alimentamos nosso corpo no café, almoço e jantar, da mesma maneira o nosso espírito tem "fome de Deus" e do que é dEle. É aqui que somos instruídos e capacitados a fazer o correto.

A caminhada nos ensina lições que nunca poderemos esquecer ou desprezar, mas sim aprender com elas. O sinal de que não aprendemos é se repetimos os mesmos erros do passado. Repetir erros é sinal de tolice, é querer se prejudicar e causar dano próprio.

Deus não faz as coisas como nós, Ele não constrói "nada" em cima de ruínas, Ele primeiro tira os "entulhos do terreno" e depois constrói o edifício novo. Acho que você entendeu.

Se alguém, em algum segmento de sua vida, fez tudo errado, deverá fazer uma limpeza nessa área, para depois ir em busca de construir o certo. Este trabalho começa na mente.

Contanto que a obra seja dEle, "Deus pode" fazer até o absurdo dar certo.

Viveremos esse certo permanecendo em "seu "caminho, sabendo que naquilo que Ele faz, primeiro nos dá a prova para depois aprovar.

O que nos move hoje? Que tipo de disposição temos?

Até onde vamos reagir? Podemos colocar limites onde Deus não colocou?

Tudo parece ser um grande teste, não é?

Etapas vencidas nos levam para outras "plataformas e condomínios", confiamos no que é básico para depois viver o que é complexo.

Deus nos treina em obras pequenas e depois nos confia o que é grande. O movimento para sabermos reduzir e frear é tão importante quanto para pisar no acelerador, o que vai valer é reconhecer que somos o piloto e Ele é nosso GPS.

Apesar das irregularidades e buracos da pista, a paz no nosso "homem interior" deverá ser o sinalizador da presença que nos manterá em boa condução. O "escudo celestial" guarda os que andam em verdade, se refugiam na palavra e são fiéis ao conhecimento do Eterno.

AGRADEÇA

1.   Agradeça pelos caminhos alternativos que você já percorreu para aprender o que sabe.

2.   Agradeça pelos caminhos novos que está descobrindo.

3.   Agradeça acreditando que Deus está te treinando em obras menores para depois te incluir em projetos maiores.

4.   Agradeça confiando que novos caminhos e novos parceiros virão.

39. O EXATO

Ligados em Deus, somos aptos a enxergar seus sinalizadores e alertas de vida, condução e limites.

Deus é vida, nossa vida fala.

Quando temos vida no Espírito e caminhamos com os olhos espirituais abertos e atentos, enxergamos sinais das aprovações, reprovações e limites de Deus. Existem "placas sinalizadoras" nas regiões celestiais, lugares altos onde o homem natural não consegue ver, daí a importância de uma comunhão maior com Ele.

Só Deus conhece o que o ser humano terá que percorrer nos próximos quilômetros da vida.

A comunhão com Ele na oração e na palavra faz com que um "homem" se torne privilegiado no Reino do espírito.

Decisões erradas, precipitadas ou fora de tempo levam uma pessoa ao que não convém e pode custar caro, já uma decisão pensada e pesada na balança da oração traz endereços de vitórias.

> *Todas as coisas me são lícitas, mas nem todas convêm. Todas as coisas me são lícitas, mas eu não me deixarei dominar por nenhuma delas. Todas as coisas são lícitas, mas nem todas edificam.*
>
> *1 Coríntios 6:12 e 10:23 ARA*

> *Não é bom ter zelo sem conhecimento, nem ser precipitado e perder o caminho.*
>
> *É a insensatez do homem que arruína a sua vida, mas o seu coração se ira contra o Senhor.*
>
> *Provérbios 19:2,3 NVI*

Enquanto nós estamos conectados ao presente fazendo escolhas egoístas e agindo com nossas próprias forças, Deus sabe tudo o que realmente não nos convém. Devemos ser gratos a Ele buscando agir conforme seu Espírito nos testifica, não segundo nossas emoções e querer. As revelações de Deus estão em obras simples e profundas que se sobrepõem à imaginação humana e natural. As coisas muitas vezes não acontecem como pré-programamos, mas sempre seguirão o "relógio divino". Temos que tomar coragem e avançar para onde Deus está indicando, e não para os nossos velhos hábitos e lugares de refúgio, isso é covardia.

É muito inteligente e poderoso que saibamos resistir às nossas vontades para viver a de Deus, só assim viveremos suas virtudes excelentes, isso porque Ele sabe tudo, enquanto nós, na grande maioria das vezes não temos nem a definição certa do que buscamos. Existe uma enorme diferença entre o que é lícito fazer, e o que devemos fazer de tudo que nos é lícito.

Podemos muita coisa, mas nem tudo do que podemos convém que façamos. Nem tudo é para todos, ainda que seja algo bom. Daí a vantagem de caminhar debaixo da "nuvem de Deus", nosso campo de proteção, sustento e milagres. Ela se move no alto para cumprir o propósito na vida de quem "anda" debaixo dela. Quantas vezes fomos ousados e obedientes a Deus permanecendo de verdade neste lugar e sendo soprados dentro deste caminho de descanso e milagres? Quantas inúmeras vezes saímos, nos movemos dali sem autorização e recebemos o contrário do que queríamos? Foi Deus? Não, fomos nós, nossas decisões humanas e egoístas avançadas em desespero, distorções e falhas sentimentais.

Convém fazer o que Deus nos direciona a fazer, Ele só nos respalda quando obedecemos ao que Ele diz que vale a pena. Convém dar mais ouvidos ao nosso espírito, nosso instinto e percepção em Deus, não aos nossos desejos. Quem tem conseguido fazer isso deve se deitar, repousar e dormir na sombra da nuvem quando ela parar. Quando ela se mover, o "Sol da justiça" despertará o que soube descansar.

Quem saiu debaixo dela deve correr e voltar, o Espírito de Deus permite confrontos no deserto, mas também seu conforto, permite o fogo para nos aquecer e o vento para nos refrescar.

Não podemos deixar que sentimentos, notícias ou influências, nos tirem do que convém, nosso propósito está no que Deus diz, não em outra voz, por mais atrativa que seja.

Em Deus conhecemos nosso devido lugar e o que verdadeiramente nos convém de tudo que parece lícito. Agradecê-lo por tudo é sempre a chave para uma nova porta.

AGRADEÇA

1.   Agradeça por entender que existem coisas que te são lícitas, mas você não deve fazer, principalmente se não te edifica.

2.   Agradeça por poder não se deixar dominar por nada, ainda que seja algo lícito.

3.   Agradeça recebendo discernimento e força para sair de caminhos que parecem Bons, mas são caminhos de prejuízo.

4.   Agradeça por poder ser mentor daqueles que, como você, aceitam obedecer limites e tem senso de auto responsabilidade.

40. A RENÚNCIA

O Senhor sabe do melhor que podemos alcançar pela renúncia. Ganhamos quando deixamos o que é nosso e seguimos o que é dEle.

Em Deus está o melhor e o completo. Ele conhecia nossas vaidades e fraquezas, sabia que precisaríamos viver sua santidade e Glória.

Jesus deixou seu trono, habitou entre nós, venceu o pecado e a "morte de todos". Em nome dEle, o homem recebe forças para lutar, vencer sua carne, morrer para ela e ser purificado.Vencê-la é uma decisão por renunciar ao ego e se entregar inteiramente a Ele. Digo inteiramente porque nem um objeto, se partido ao meio, tem o mesmo valor, ainda mais uma vida. Ninguém pela metade tem valor algum e também não chega em lugar nenhum. Porque seria diferente para com Deus? Sabemos que existem resistências e batalhas, mas é assim que tudo funciona, na entrega total ao Senhor.

Deus não "habita" no que é sujo, enganoso, embaralhado, corrompido ou carnal, Ele é santo.

Quer vir após mim?

Negue-se a si mesmo, tome cada dia a sua cruz e siga-me. Porque, qualquer que quiser salvar a sua vida, perdê-la-á, mas qualquer que, por amor de mim perder a sua vida, a salvará.

Lucas 9:23

Mas buscai primeiro o Reino de Deus, e a sua justiça, e todas essas coisas vos serão acrescentadas.

Mateus 6:33 ARC

Uma verdade difícil de o "homem" encarar é que Deus não deve ser colocado em segundo lugar, nem tão pouco a sua vontade.

Ele é soberano, precisamos reconhecer isso o colocando como primeiro de tudo. Com isso só temos a ganhar, Ele sempre nos fará avançar para o "anormal". Trata-se de perder do nosso para ganhar do dEle.

Nossos desejos, vaidades e projetos devem ser submetidos a Ele entendendo que o propósito dEle aperfeiçoa tudo.

Deus não força ninguém a nada, Ele propõe, sugere e indica onde nos quer. Nossa atitude deve ser voluntária por mais difícil que pareça, como já foi dito, só temos a ganhar.

Não adianta insistirmos no que Ele reprova, assim como não adianta priorizar outra coisa senão o que Ele pede.

São decisões fortes, mas que vão implicar em grandes diferenças nas nossas vidas.

A direção esplêndida e gloriosa do Pai, muitas vezes palpita dentro de nós, mas nós a deixamos de lado por depreciar nossos dons.

A obediência a Ele fará com que as coisas dêem certo e tudo venha a fazer sentido.

Então, existe uma grande escolha a ser tomada; ou continuamos fazendo tudo do nosso jeito ou fazemos do jeito dEle. Quem é mais forte? Quem pode mais? Até onde vamos resistir às mudanças? Se olharmos para trás, nossas experiências nos ajudarão a decidir.

Deus é especialista no que é macro e gigante, nossas limitações humanas não conseguem ver a dimensão dessas obras.

Precisamos colocar em ação o que temos ouvido dEle, assim viveremos o melhor do amanhã.

Sem Deus pode-se até ganhar, mas depois se perde o que foi ganho sem Ele. Sacrificar nossa vontade para obedecer a dEle nos trará resultados de vida, paz, prosperidade e eternidade.

AGRADEÇA

1.   Agradeça sabendo que Jesus te chama para o que é dEle.

2.   Agradeça porque uma vez que Ele te chamou, já te deu condições para carregar sua cruz e renunciar ao seu eu.

3.   Agradeça entregando a Deus o que é seu e receba o que vem dEle.

4.   Agradeça abrindo mão de suas vontades "passageiras" e viva obras eternas em Cristo Jesus.

41. O RENOVO

Em Cristo, somos habilitados a nos tornar nova criatura, deixar o passado para traz e receber novidade de vida.

Porque ficar preso nas coisas velhas e na natureza do velho, se existe o novo de Deus para se viver? Deus não quer que insistamos no velho, Ele tem o vinho novo para derramar em nós, odres que se deixam ser renovados por suas mãos. Ele vê o que vivemos em tempo real.

Só vive uma vida nova quem quer e vai em busca dela. Se o novo entrar no velho, este se rompe e perde--se o conteúdo, não há encaixes aqui.

Com a maturidade, cada vez mais a verdade se estabelece, declarando que ninguém consegue vida nova sem Deus. Quando escolhemos andar e permanecer nos seus propósitos, as coisas novas vão chegando e se fazendo notórias. Renovações não são obras de "um momento", mas de processos que não irão parar. Vale ressaltar que não devemos saltar nenhum deles.

...se alguém está em Cristo, é nova criatura; as coisas antigas já passaram; eis que se fizeram novas.

2 Coríntios 5:17 ARA

Não vos lembreis das coisas passadas, nem considereis as antigas. Eis que farei uma coisa nova, e, agora, sairá à luz; porventura, não a sabereis? Eis que porei um caminho no deserto e rios, no ermo.

Isaias 43:18,19 ARC

Apesar das impurezas do "homem", não há relação mais linda e mais pura do que a de Deus com o ser humano. Suas maiores obras são feitas neles e através deles.

Quando Deus nos muda por dentro, as coisas mudam por fora e ao redor, gerando reflexos em pessoas e ambientes.

Nossa novidade de vida vai atrair pessoas, assim como nossas teimosias, mesmices e dureza de coração podem cansar e enfraquecer relações.

Deus é Deus do novo na vida de quem se deixa ser novo.   Transformações demandam "esforços diferentes" do praticado. Não me refiro a força especificamente, ao contrário, a nos soltar e deixar o que é velho sair para que entre o novo.

É preciso reabrir portas que nós mesmos fechamos ou deixamos que alguém fechasse. A vida é linda e precisa ser vivida em sua essência. A vida vem de Deus, como Deus é vida e liberdade.

Estar em Deus é experimentar as maravilhas que Ele nos proporciona. Isso começa em nós, é uma abertura para se receber o cumprimento do plano original do céu.

O ontem já passou, o amanhã vai chegar e vem carregado de chuvas refrescantes nas nuvens do Senhor.

Dentro da nossa fé em Jesus, estão as coisas novas do futuro e do sempre. Isso não precisa parar, pode ser assim até o fim, o pão nosso chega todo dia.

Ah, que bom! Que bom poder nos libertar de nós mesmos, sair dos campos da cegueira e entrar nos campos de colheita celestial do Eterno.

É conseguir dar tchau ao velho homem se revestindo do manto novo.

É ir apagando o passado pelo novo que vem, substituindo o velho.

É a resposta do Universo de fora, dada pelo Deus que recebemos por dentro.

AGRADEÇA

1.   Agradeça deixando ir seu velho homem e se tornando um odre novo.

2.   Agradeça abrindo mão das "coisas velhas e disfuncionais" que consumiam suas energias.

3.   Agradeça recebendo novidades de revelação e vida em Jesus, desfrute disso e permaneça debaixo dessa fonte.

4.   Agradeça levando outras vidas às verdades do vinho novo que você receber do Senhor.

42. A AGENDA

Tudo que vivemos e viveremos já está registrado com perfeição nas páginas do livro da vida.

Quando se trata de Deus e seu trabalhar, não há acaso, mas sim propósitos.

Os detalhes de todas as coisas foram na eternidade registrados pelo Tabelião dos Céus. Os dias do altíssimo estão prontos para se cumprir nos nossos dias. Andar segundo nosso próprio entendimento, é lutar negando o "paraíso das profecias". Apesar de seus mistérios, os dias de Deus para nossas vidas estão repletos de graça e poder, foi assim até aqui e continuará sendo. Temos que mergulhar nos "rios da fé" sabendo que suas águas são mananciais de bondade e restauração.

Quem escreveu tudo, sabe tudo. Se estamos lutando por um amanhã feliz, devemos alinhar nossos planos aos dEle. Eis a importância de uma vida espiritual genuína. Tudo está ligado, quanto mais fiéis nos fizermos, mais rápido e "naturalmente" alcançaremos o cumprimento de "suas" promessas.

> *Os teus olhos me viram a substância ainda informe, e no teu livro foram escritos todos os meus dias, cada um deles escrito e determinado, quando nem um deles havia ainda.*
>
> *Salmos 139:16 ARA*

> *Os céus proclamam a glória de Deus, e o firmamento anuncia as obras das suas mãos. Um dia discursa a outro dia, e uma noite revela conhecimento a outra noite.*
>
> *Salmos 19:1,2 ARA*

Diferentemente do homem, Deus não começa as coisas e as larga pela metade, mas sempre termina o que "Ele começou". Se nós entendêssemos realmente isso, viveríamos melhor. Todo ser humano tem obrigações e deveres para cumprir, conectados a Deus é que "nosso veículo" flui na velocidade e na rota pré-estabelecida.

Muitas vezes, Deus nos livra de acidentes de percurso que nem vemos. É incrível os efeitos de nossa comunhão com Ele, creio que não haja nada que gere mais ousadia num homem do que tal coisa.

Nenhum tipo de inimigo pode abater um filho protegido pelo Pai Onipotente, seus dias de vida são marcados por descobertas e cercados por socorros.

O ser humano anda tão ocupado e corrido, que não consegue usufruir do que merece e Deus oferece.

É lindo saber valorizar as belezas de um dia, Deus em tudo fala com a gente. Até que ponto temos valorizado nosso corpo, nosso alimento, nossa família, nossa casa, as paisagens, os sons, as florestas, os animais etc.?

Ou nossos dias vão simplesmente passar ou podemos degustar os sabores de cada parte deles. Esta é uma ótica de gratidão que gera luz, prazer e paz para a alma.

Os olhos de Deus nos assistem desde o início e nos assistirão até o fim. O que Ele escreve, ninguém prescreve. O que Ele disse está dito e sentenciado.

Ele sabe tudo a seu respeito, sabe o que é para hoje, sabe o que é para este ano e o que é para essa década, não há erros no seu planejamento, apenas a execução do que foi proclamado. Seus dias existem nEle e serão todos cumpridos por Ele, basta se enquadrar ao projeto.

Tenha certeza de uma coisa, a paisagem da sua vida pode vir a ser bem mais bela do que você imagina.

Corramos com Ele para este "ponto de vida" do seu livro eterno.

O que não vemos do amanhã, Ele registrou no "ontem".

Os céus respaldam nosso agradecer.

AGRADEÇA

1.　　Agradeça pelos cuidados de Deus sobre seus dias.

2.　　Agradeça pelo melhor de Deus que foi anotado no livro da vida a seu respeito.

3.　　Agradeça entendendo que os propósitos registrados para os seus dias, deverão ser concretizados segundo seus passos.

4.　　Agradeça acreditando em dias de Glória e ajude outros a viverem o mesmo.

43. O RESGATE

Dele vem o mandamento eterno, suas leis de glória nos tiram da falência da alma e nos fazem vivos.

Dias difíceis vem para todo mundo, andar segundo os mandamentos e preceitos de Deus traz abrigo. Existem fases da vida que parecem impossíveis de vencer humanamente.

Quando as perdas chegam, a decepção vem e a perplexidade é real, precisamos ser frios, decidir vencer, substituir pensamentos e escolher com calma o que fazer, negligenciando o que quer nos destruir. São nesses momentos que somos fortificados para exercer o domínio próprio.

Ainda que o diagnóstico tenha "cara de morte", nada é maior do que as sentenças que o Senhor executa em nosso favor.

Transformações fazem parte do seu menu, e milagres são opções do cardápio de quem crê.

Quando nos apegamos à palavra dEle, recebemos autoridade para lutar contra tudo que nos cerca, amedronta e afronta.

> *Em verdade, em verdade vos digo que, se alguém guardar a minha palavra, nunca verá a morte.*
>
> *João 8:51 ACF*

> *Enviou-lhes a sua palavra, e os sarou, e os livrou do que lhes era mortal.*
>
> *Salmos 107: 20 ARA*

Só Deus tem a palavra de libertação que nos faz capaz de suprir fraquezas, escapar da morte e apagar males destruidores. Existirão momentos que não conseguiremos saciar o nosso ser escutando ninguém, só a Deus. Essa é a voz da vida eterna, ela nos capacita a crer, agir, avançar, crescer, somar, saltar, perdoar, investir, romper, entrar, apossar etc. Estou me referindo a um estilo de vida de fé incessante e sem limites. Deus é quem mais acredita em nós, nós somos quem mais deveríamos acreditar nEle.

Ele é quem mais conhece a nosso respeito e o único que com exclusividades sabe nos abençoar.

Deus na sua Onisciência libera de tempo em tempo palavras que se tornam como "kits de sobrevivência" para as estações de nossas vidas.

Elas o revelam, manifestam a autoridade da ressurreição, que é vida onde a morte quer reinar. Delas saem o sustento indispensável para sobrevivência do seu exército.

Precisamos beber deste remédio até que sejamos curados. A Palavra é a água que sacia a sede no deserto, o antídoto para quem foi picado pela serpente e o bálsamo para o cansado. Ela é a utilidade para todas as fases do viver, beber dela significa deixá-la surtir efeito no nosso meditar. É ativar e reavivar a fé pelo romper e mover do Espírito Santo em nós. É a vida crescendo e a morte morrendo.

Quantos, neste momento, estão em busca de uma resposta?

Quantos estão querendo ouvir o que lhe cabem?

O homem já tem a palavra que precisa, basta reconhecê-la e aceitá-la, a palavra é Ele, é Cristo, o divisor de águas, o Deus vivo que é mandamento de vida sobre a morte.

AGRADEÇA

1.   Agradeça na fé de que o Senhor está enviando seus anjos para te socorrer em todo e qualquer ambiente de falência.

2.   Agradeça se apossando da força que você precisa para se reerguer.

3.   Agradeça sabendo que sua decisão de reviver pode ser seu principal ingrediente para uma virada.

4.   Agradeça parando para ouvir a Deus agora e receba uma palavra que vai mudar o seu destino.

44. O PERDÃO

Pela graça temos recebido o perdão de Deus. Fomos e somos perdoados para também perdoar.

Deus pega o mais vil pecador, que se arrepende e suplica o seu perdão, e o transforma numa pessoa liberta, salva e abençoada.

O que seria de nós se não fôssemos perdoados por Ele? Quantas vezes pecamos? Seria possível contar? Se tivéssemos que pagar um preço por cada pecado, daríamos conta disso? Qual homem poderia pagar tal dívida?

Estas simples perguntas descrevem de uma forma longínqua o "tamanho do perdão" de Deus.

A Bíblia diz que o salário do pecado é a morte, mas o dom gratuito de Deus, é a vida eterna "em Cristo Jesus", nosso Senhor. Nenhum de nós pode ter vida verdadeira sem a graça do perdão divino. Ninguém tem vida verdadeira sem praticar o perdão que recebeu.

...se perdoardes aos homens as suas ofensas, também vosso Pai celestial vos perdoará a vós. Se, porém, não perdoardes aos homens as suas ofensas, também vosso Pai vos não perdoará as vossas ofensas.

Mateus 6:14-15 ARC

Se confessarmos os nossos pecados, Ele é fiel e justo para nos perdoar os pecados e nos purificar de toda injustiça. Se dissermos que não temos cometido pecado, fazemo-lo mentiroso, e a sua palavra não está em nós.

1João 1:9,10 ARA

Do mesmo jeito que o Senhor nos perdoou lá trás, Ele permanece perdoando todos os dias. Seu perdão não finda, foi válido no passado, está válido para o presente e será válido no futuro, isso porque o sacrifício de Cristo é único, não se repetirá. Seu sacrifício pagou nossos pecados do "ontem e do amanhã".

O poder do perdão de Deus não dá ao homem o direito de continuar pecando, ao contrário, um pedido de perdão precisa ser acompanhado de arrependimento.

A bíblia diz que Deus não se deixa zombar nem escarnecer, tudo que o homem plantar ele colherá. O homem é perdoado por seus pecados, mas mesmo assim colhe as consequências dos mesmos.

O Espírito Santo revela aos nossos "corações" quando pecamos, nós é que muitas vezes fingimos não ouvir.

Pecamos com palavras, gestos, pensamentos, atitudes etc. Nossos pecados devem ser reconhecidos, renunciados e confessados a Deus.

Só podemos ser perdoados por alguém se pedirmos perdão a este.

Quantas vezes sabemos que pecamos e não fazemos nada? Pecado não tem prazo de validade e o pecado não confessado fica "solto no tempo", fica "ativo" nas regiões celestiais como uma forma de perda que foi enxergada, mas não foi apagada.

Esses "sinalizadores de pecado" nos chamam para o arrependimento e confissão.

O perdoar não se resume a uma ação apenas, mas sim um dever contínuo.

Jesus disse a Pedro que deveríamos perdoar setenta vezes sete, evidentemente esse número era simbólico, não tinha nada a ver com a matemática ou regras para perdoar, mas sim com atitudes diárias de um espírito perdoador.

Se não liberamos perdão não nos fazemos dignos de recebê-lo de Deus, pior para nós. O versículo acima é claro quando diz que: "Deus perdoa os que perdoam."

Quem não perdoa carrega peso sozinho. A falta de perdão é uma corrente de "águas sujas" que correm dentro de uma pessoa. Perdão não tem nada a ver com sentimentos. Se esperarmos ter vontade de perdoar alguém que nos feriu para depois pedir perdão, talvez nunca o façamos. O perdão é uma decisão inteligente, só faz bem, também não é esquecer, porque quem esquece pode voltar a lembrar, perdoar é "aceitar o prejuízo" e decidir prosseguir em paz.

Quem ama a Deus de verdade perdoa o próximo no amor dEle. Às vezes perdoamos uma pessoa "dezenas" de vezes e ela não muda, nunca aceita que está errada, neste caso, perdoaremos, mas "a relação" deverá mudar. Com pessoas assim, se não colocarmos limites na relação, seremos explorados, feridos e prejudicados novamente. Nossa forma de relacionamento inteligente com estes indivíduos irá nos esquivar de outros danos.

Na relação conjugal ou em família, o perdão é tudo, a falta de perdão aqui pode destruir todo um futuro promissor.

A falta de perdão é uma semente podre que se não morrer no dia a dia vai crescer e virar uma árvore de desastres.

O amor, diálogo e sinceridade de um casal, deverá levá-los a saber pedir perdão e viverem sarados diante de Deus.

Pessoas tem se ofendido por muito pouco, a ofensa é uma das maiores armas de Satanás e do Reino das trevas.

A falta de perdão gera morte espiritual, ou seja, mata tudo.

Sei que pode não ser fácil, mas se não soubermos desprezar ofensas, elas entram, criam raízes de amargura e podem virar ódio.

O perdão quanto mais rápido melhor, seja liberando-o dentro de você, ou pedindo perdão para apagar um mal-entendido.

Perdoe, viva leve com você mesmo, viva livre no perdão de Deus.

AGRADEÇA

1.   Agradeça pelo tanto que o Senhor já te perdoou.

2.   Agradeça por Deus te capacitar a perdoar e ser perdoado.

3.   Agradeça por poder liberar a sua vida e a vida de outros através do perdão, declare isso nas regiões Celestiais independente dos seus sentimentos.

4.   Agradeça por poder ensinar a todos a importância do perdoar.

45. A OBEDIÊNCIA

Nenhum sacrifício que fazemos por nós mesmos ou para Deus, é mais recompensador do que obedecê--lo.

O Deus Pai deu Jesus como exemplo de filho obediente, Ele obedeceu até a morte, e morte de Cruz.

Negligências, quebras de pactos, mentiras e rebeldias destroem relações. Quem não obedece "com o certo", já desobedece fazendo o errado. A desobediência tem dois lados: desobedecemos quando fazemos o que não devemos ou se não fazemos o que Deus espera que façamos. Boas intenções, muito trabalho e sacrifícios não significam obediência, obedecemos quando acatamos a palavra e executamos o que nos foi requerido.

Só um Pai sabe o que realmente é melhor para seu filho, o filho nunca tem o nível de experiência do Pai.

Independentemente da posição que exercemos, por mais experientes que sejamos, só Deus pode nos apontar um destino 100% correto. Ele nos gerou para um propósito "dEle", não nosso.

Porém Samuel disse:

> *Tem, porventura, o Senhor tanto prazer em holocaustos e sacrifícios quanto em que se obedeça à sua palavra? Eis que o obedecer é melhor do que o sacrificar, e o atender, melhor do que a gordura de carneiros.*
>
> *1Samuel 15:22 ARA*

> *E por que me chamais Senhor, Senhor, e não fazeis o que eu digo?*
>
> *Lucas 6:46 ARC*

Não adianta fazermos muito de tudo, se não fazemos exatamente aquilo que estamos sendo "cobrados" pelo Espírito Santo para fazer. Essa desobediência seria como um desacato que retarda as bênçãos do céu nas nossas vidas. Obedecer a Deus gera paz e segurança interior, desobedecê-lo gera angústias e dores. Obedecer a Deus nos traz favores que a força do nosso braço nunca alcançaria.

Obedecer a Deus adianta processos e atrai respostas de níveis maiores. Quero deixar claro que quando falo de obedecer a Deus, não me refiro a sermos obrigados a fazer o que Ele pede ou uma religião manda, isso seria muito pobre e sem valor, eu me refiro à honra, a ter prazer em honrar a Deus e atendê-lo naquilo que somos direcionados.

Obedecê-lo é executar seus planos, é ser sábio atendendo seu chamado, e não negligenciando a sabedoria absoluta que quer nos favorecer.

Será que você está fazendo isso? Seja sincero para você mesmo e para Deus.

Todos recebemos missões únicas e diferentes para cumprir, ainda que ocupemos posições iguais.

As dimensões e extensões do propósito na vida de um escolhido são desconhecidas, mas enquanto ele não agir como deve, estará atirando ao vento, desperdiçando tempo e energia.

Com isso, quem sofre o dano é o corpo, que vai viver fadigado pelo estresse do tudo que virou nada.

Não confunda movimento com progresso, fazer muito não é a mesma coisa que fazer o correto, aliás, o maior inimigo do correto é o bom, porque só sendo tentado com algo bom, podemos nos distrair e sair do correto.

Quando Deus nos escolhe e nos chama, Ele sabe exatamente o que faz, não há como fugir dEle. Se falharmos aqui, não seremos completos, erraremos o alvo e perderemos os prêmios. Se acertarmos, ganharemos os benefícios e os bônus "do alto".

A instrução que recebemos de Deus, ainda que pareça simples, pode ser o que de mais poderoso possuímos para obedecer a Ele, servir a humanidade e mudar nossas vidas.

AGRADEÇA

1.   Agradeça porque o filho de Deus obedeceu e se sacrificou por você.

2.   Agradeça escolhendo parar de perder e decidindo obedecer.

3.   Agradeça reconhecendo o valor e a exclusividade daquilo que você tem de Deus, por mais simples que te possa parecer.

4.   Agradeça sabendo que sua obediência a Deus, trará resultados do Reino, nunca vistos por você e sua casa.

46. O DISCÍPULO

Somos alunos da escola de Deus, onde Jesus é o diretor e o Espírito Santo o professor que nos forma discípulos.

Aprendemos com Deus o que ninguém pode ensinar, a vida.

O tempo, os relacionamentos, as responsabilidades, a fé e as lutas nos forjam cada vez mais.

Jesus escolheu doze discípulos. A palavra discípulo vem da palavra aprendiz: aluno receptivo a ensinamentos.

Jesus não escolheu religiosos, mas sim homens que Ele capacitaria a servir ao Reino. Deus é quem mais pode nos ensinar sobre nós mesmos, sobre as pessoas, sobre nossas necessidades reais e sobre a terra.

Informação gera conhecimento, compreensão gera entendimento e sabedoria gera aplicação.

Deus nos instrui na sua palavra, quanto mais recebemos dela e nela permanecemos, mais nos tornamos aprendizes da verdade e vivemos o Reino libertador de Cristo.

> *...se vós permanecerdes na minha palavra, sois verdadeiramente meus discípulos, e conhecereis a verdade, e a verdade vos libertará.*
>
> *João 8:31-32 ARA*

> *O discípulo não é superior a seu mestre, mas todo o que for perfeito será como o seu mestre.*
>
> *Lucas 6:40 ARC*

O que é verdade para uns, pode não ser considerado verdade para outros, mas o Evangelho é a palavra da verdade para todos, a verdade nua, crua e eterna de Deus.

Muita gente caminha em "suas verdades próprias" para no fim admitir que vivia no engano, esse caminho pode ser longo e cheio de altos preços a serem pagos. Quem não aceita a verdade, se rebela contra ela. As forças do mal sabem que se alguém vive firmado na verdade do Senhor, irá lutar para vencer.

Receber uma dose ou uma porção da palavra não é suficiente, não vai durar, vai faltar, temos que ficar com tudo que ela oferece. O mais de Deus e da palavra nunca é muito, ao contrário, nesta dosagem maior é que o azeite da unção é liberado e o Espírito fala com mais clareza.

A bíblia conta a história de dez virgens, cinco prudentes e cinco loucas, todas as dez tinham óleo na lamparina, mas só as prudentes tinham óleo extra, quando o Senhor chegou, foi que as loucas acordaram para a realidade que precisariam de mais azeite. Nunca se conforme com o azeite que você carrega, queira sempre mais, tenha sempre mais, você nunca sabe exatamente do quanto vai precisar para cumprir a missão que te for ordenada.

Somos estudantes da escola da vida, onde só o autor dela pode nos discipular com matérias vivas e poderosas que nos farão passar no vestibular da nossa história.

A verdade é a maior prosperidade que um homem pode ter: por ela ele é, por ela ele faz e se faz, por ela "ele produz" e multiplica quem Deus é e o que Deus dá.

Ninguém pode obrigar uma pessoa a comer o que não quer, assim como ninguém pode ensinar a alguém que não quer aprender.

Pessoas estão perdendo o que tem por não quererem aprender o que precisam, morrem "secos", escondendo-se de Deus sem experimentar o poder da salvação eterna.

Não ouvir Deus é ficar sem direção, deixar para ouví-lo amanhã é sofrer atrasos pela ignorância.

Devemos estar abertos e dispostos a crescer como Jesus: em sabedoria, estatura e graça.

Não é a verdade que liberta, é conhecê-la, é conhecer Jesus. O conhecemos quando somos humildes para aprender.

Quem é discípulo segue o mestre, quem segue o mestre conhece a verdade, quem conhece a verdade é livre e luta por permanecer nela.

Ser discípulo não é ser ator, não é "representar um personagem cristão", é aprender para ser, revelando a pessoa de Jesus em todos os segmentos.

AGRADEÇA

1.   Agradeça adquirindo mais conhecimento e deixe de ser leigo com as coisas de Deus.

2.   Agradeça por conhecer a verdade que liberta e por poder permanecer nela.

3.   Agradeça sendo interessado em querer mais de Deus, ter azeite extra e se tornar um discípulo ungido.

4.   Agradeça se tornando um líder que gera discípulos pela verdade que você demonstra, vive e ensina.

47. O FRUTIFICAR

Nós não nascemos apenas para "vegetar ou enfeitar" ambientes, mas para produzir frutos posicionados em Deus.

Depois de Deus formar o primeiro homem e soprar nele seu Espírito, o abençoou para frutificar, multiplicar e encher a terra.

Viria a reprodução da espécie e a diversidade de obras novas.

Deus nos deu seu "DNA", somos os únicos seres capacitados de intelecto. Assim como Ele é criador, fomos capacitados para criar e produzir o que é novo.

Somos cidadãos do Reino dos céus, esta é nossa verdadeira origem e maior identidade, devemos agir como tal, sendo agentes deste governo na terra.

É importante compreendermos o tipo de "fruto" que somos, as sementes e "especiarias" que carregamos, e o poder que temos em Deus através de nossas exclusividades.

Eu sou a videira, vós, as varas; quem está em mim, e eu nele, este dá muito fruto, porque sem mim nada podereis fazer.

João 15:5 ARC

Mas o fruto do Espírito é amor, alegria, paz, paciência, amabilidade, bondade, fidelidade, mansidão e domínio próprio. Contra essas coisas não há lei.

Gálatas 5:22,23 NVI

Jesus carregava o fruto da verdade e da salvação, Ele veio ligado ao Pai. Devemos nos ligar a Ele para fluir no que fomos comissionados pelo Pai. Devemos viver o fruto do Espírito.

A bíblia diz que é muito bom que os irmãos vivam em união, fala da importância do templo, casa de oração, todavia não podemos depender apenas do eclesiástico, é em Jesus, na palavra, na oração e no Espírito Santo que nos conectamos ao poder de vida, ação e multiplicação.

Nossa submissão verdadeira a Deus e sua vontade suprema, pode nos conduzir àquilo que nunca contemplamos, devemos aceitar ser o que Ele diz que somos.

Não precisamos fazer nada igual a ninguém, só precisamos frutificar no original que é dEle dentro de nós.

Quando nos encorajamos e passamos a agir conforme Ele nos guia, criamos vida interior e soltamos no exterior.

É uma vida de identidade e intensidade que manifesta resultados como liberdade, descanso, prosperidade, alegria e frutos.

Isso pode parecer apenas uma imaginação para quem nunca experimentou uma vida assim, mas existe e está disponível a todos que buscarem esta conexão maior com Jesus, basta rendição, determinação e dedicação.

Chega uma hora na vida da pessoa que ela tem que dar um basta em algumas coisas, tem que parar de pensar pequeno e se abrir para o que é grande, começando com sua mentalidade. Não há limites para quem decide sonhar, principalmente se os sonhos forem de Deus.

Ainda que como José, sejamos chamados pelos nossos irmãos de sonhador mor, depois de trajetos difíceis e ciclos de "torturas", podemos chegar a governar. Aconteceu com ele, pode acontecer com qualquer fiel.

Submeta seus planos ao propósito de Deus, lembre-se: em Deus nada precisa começar grande, Ele faz o pequeno ficar grande, Ele faz as sementes se tornarem árvores, darem frutos e alimentar muitos. Para que tudo comece, elas só vão precisar sair do saco e serem plantadas na terra.

Existe alguém maior do que Deus?

Existe alguém que pode nos dar mais do que Ele?

Existe algum fruto impossível de ser gerado ou multiplicado por Ele?

Jesus é nossa melhor opção do sempre, e, para "alguns", é a única opção que ainda resta.

Ele nos faz atingir alvos nunca vistos, faz os frutos brotarem até fora da estação.

Com Ele o processo não é fadiga, a decisão, convicção, resiliência, tempo investido e persistência no obedecer se encarregarão das respostas.

Nada é da noite para o dia, antes da colheita e da promessa viveremos o tempo do trabalho e do sustento.

Respeite as estações da sua vida, aprenda com elas, o Senhor tem chamado seus filhos para o centro do seu querer. É neste lugar que voltamos para o "embrião" do Pai, recebemos visão e segredos são revelados.

Viver sem este lugar é se conformar em ser estéreo e abortar os presentes do eterno.

AGRADEÇA

1.   Agradeça confessando que Jesus é a videira que você precisa para obter tudo que a vida pode dar.

2.   Agradeça sendo um ramo que dá cada vez mais frutos ligado nEle.

3.   Agradeça por Deus ter te mostrado inúmeras vezes que está com você, quer te usar e usar seus frutos para a Glória dEle.

4.   Agradeça buscando potencializar seu ser, seu chamado e seus talentos. Viva o inaudito de Deus.

48. O PROPÓSITO

Deus sabe claramente que os problemas fazem parte dos processos para vivermos o propósito.

É difícil para o homem muitas vezes discernir os processos que ele enfrenta, mas é fácil enxergar e apontar problemas.

Pior é quando um determinado problema toma uma proporção maior do que o esperado e o processo parece complicado e sem controle. Se não houver domínio próprio e equilíbrio emocional, a pessoa corre o risco de cair no "olho do furacão" e apagar.

Nenhuma situação, problema ou ameaça é tão colossal que possa afetar as ações de Deus em favor de nossas vidas. Ele se faz guindaste de resgate na angústia e traz a ponte do socorro na enchente, Ele coloca limites onde não havia e impede os desastres com um sopro, conhece o que vivemos, mas nos habilita com a tormenta. Ele faz um desastre se tornar a maior experiência, é indescritível em suas produções e ninguém pode surpreendê-lo.

Quando parece que nossa "embarcação" vai afundar, depois de encalhar no oceano do desconhecido, Ele nos lança "o salva-vidas" que vai nos levar de volta à terra firme e mudar o rumo da nossa história.

Quando passares pelas águas, eu serei contigo; quando, pelos rios, eles não te submergirão; quando passares pelo fogo, não te queimarás, nem a chama arderá em ti. Porque eu sou o Senhor, teu Deus, o Santo de Israel, o teu Salvador...

Isaías 43:2-3 ARA

Que diremos, pois, a estas coisas? Se Deus é por nós, quem será contra nós? Aquele que nem mesmo a seu próprio Filho poupou, antes o entregou por todos nós, como nos não dará também com ele todas as coisas?

Romanos 8:31-32 ARC

Note que o primeiro versículo tem três vezes a palavra quando, e nenhuma vez a palavra "se". Passar por provações não é opcional, é real. Ninguém na vida pede por problemas, mas eles vem e fazem parte dos ingredientes que Deus usa para nos despertar e desenvolver. Dura realidade, não é? Jesus passou pelo Getsêmani e depois enfrentou a cruz, tudo desmerecidamente.

Porque tinha que ser assim? Ele passava por uma parte tentadora de sua missão, chegou até a expor a vontade de passar o cálice, mas foi como homem até o fim, para nos provar que como homens nós também podemos chegar lá. Por Ele ter superado tudo, hoje estamos aqui. Como Ele, temos que concluir nossa missão.

A motivação de Jesus deve ser a mesma nossa: amor e compaixão por vidas. Será preciso mostrarmos força, confiança, labuta, serventia e perseverança.

Se você é pai ou mãe, seus filhos não podem ver você parar, se você é um líder, seus discípulos irão te assistir e te seguir.

Toda prova um dia acaba, pode ser quando menos esperamos, mas acaba, nada é eterno, só Deus. Tudo é passageiro e chega ao fim.

Toda batalha dura um período, depois surgem outras diferentes.

Sei que ninguém gosta de ouvir isto, mas também sei que Deus pode usar problemas para nos amadurecer e fazer aprender o que não seríamos capazes de estudar.

Todo aprendizado será válido e poderá ser usado em favor de outros, afinal, aprendemos para depois poder ensinar.

O mais importante nos nossos processos é vermos Deus no meio deles, nos movemos com Ele e Ele se move junto a nós.

A passagem do livro de Isaías nos mostra três coisas, quando passarmos os "testes" Ele estará presente, não nos deixará afundar e nos isentará de feridas e danos maiores.

É a provisão divina em meio aos problemas e aos processos para que se cumpra o grande propósito.

AGRADEÇA

1.   Agradeça pela presença de Deus no meio dos problemas e processos que te levarão ao propósito.

2.   Agradeça sabendo que Ele não te deixa afundar, mas está aí para te resgatar.

3.   Agradeça estando convicto de que Ele te livra de danos maiores.

4.   Agradeça crendo que o Senhor Jesus é seu salvador do sempre.

49. O SEGREDO

A Deus devemos a vida, devemos tudo. Reconhecendo isto, seremos gratos por suas obras visíveis e invisíveis.

Se estamos de pé, temos uma família, comemos, nos vestimos, temos prazer, descansamos ou respiramos, é por causa dEle.

A gratidão é um dever bíblico. Nosso agradecer alegra Deus, realiza a vontade dEle.

Ser grato não é a mesma coisa que estar grato. Estar grato é reconhecer por um momento, "ser" grato é manter o reconhecimento no coração, é uma postura interior e exterior, um estilo de vida que "sente, reflete, testemunha e transparece" gratidão a Deus. Ele tem cuidado de nossas vidas com detalhes, devemos honrá-lo com nosso viver e comportamento de filhos gratos.

Em tudo dai graças, porque esta é a vontade de Deus em Cristo Jesus para convosco.

1Tessalonicenses 5:18 ARC

Porque dEle, e por Ele, e para Ele são todas as coisas; glória, pois, a Ele eternamente. Amém!

Romanos 11:36 ARC

Tudo sai de Deus, passa por Deus e volta para Deus. Dar graças a Ele é ir além da vontade própria, é cumprir um mandamento das escrituras e executar um querer divino.

A palavra diz para darmos graças por tudo, afinal, dar graças quando tudo está bem é muito fácil e qualquer um faz.

Deixamos de ser gratos se desconsideramos quem Deus tem sido ou não valorizamos o que Ele já fez e tem feito. Deus nos deu o que tinha de mais precioso, seu único filho. O que poderíamos fazer para retribuí-lo ou agradecê-lo? O que podemos oferecer de melhor, se não nossas próprias vidas?

Se todo pai espera gratidão de seus filhos, então porque achar que com Deus seria diferente?

Nunca nos faltarão razões para agradecê-lo, basta tirar nosso olhar das dificuldades e problemas. O mundo invisível está no comando de Deus, a nossa fé e gratidão pode trazer para o hoje o que era prometido para o futuro. A gratidão de hoje pode adiantar o milagre de amanhã.

Devemos "saciar nossas carências" em Deus, e não no homem. É incrível como muitas vezes fazemos questão de agradar pessoas e não pensamos em agradar a Deus. É incrível como ouvimos com facilidade a voz de um colega e não damos ouvidos ao que Deus diz. O homem pode "pouco" por nós, Deus pode tudo por todos e em todo tempo.

Deus conhece cada uma de nossas intenções, agradá-lo não pode ser uma negociação ou jogo de troca. Ele não se move por interesses como o homem, Ele é justo. Nunca perdemos por serví-lo com autenticidade.

É bonito ver uma pessoa que é grata a Deus e vive seu amor, o universo está precisando de pessoas assim. A bíblia diz que Deus está à procura de verdadeiros adoradores, que o adorem em espírito e em verdade. Se ele procura, é porque não é fácil de achar.

A gratidão a Deus caminha de braços dados com a adoração. Ela é um ato de fidelidade.

Ninguém perde por ser grato, e nunca sabe o que pode ganhar por ser.

Creio que o ser humano na sua grande maioria desconhece o poder do agradecer.

Deus é o provedor da plenitude, nossa gratidão fala com Deus Pai, revela a pessoa do filho Jesus e manifesta o Espírito Santo.

AGRADEÇA

1.   Agradeça por estar vivo e poder cumprir seu papel de "filho" grato.

2.   Agradeça por sua família, por seus amigos, pelo seu corpo, por sua saúde, pela natureza, pela igreja, pelo que você não estava valorizando e por tudo que ainda chegará.

3.   Agradeça as pessoas.

4.   Agradeça pelas pequenas coisas do hoje e viva obras maiores amanhã.

50. O FALAR

Um falar alegre, firme e confiante, atrai muitas coisas. Somar isso com o falar com Deus, produz o inconcebível.

Quem quer viver dias melhores precisa saber usar a boca sabiamente. É melhor não falar do que falar o que não é inteligente, é melhor ficar calado do que falar o que não edifica e pode demolir.

A fé vem pelo ouvir, e a voz que mais ouvimos é a nossa, ou seja, o que falamos pode afetar nossa fé.

Como cristãos, nossos dias precisam ser repletos de um palavreado vivo, positivo, consolador e profético. A mesma boca que usamos para orar é a mesma boca com a qual falamos o restante do dia, todo dia. Imagino o quão mais difícil ficam as coisas para quem quase nem ora ou não ora.

Orar é falar com excelência máxima, é aceitar o divino na terra, é falar com quem nos ouve de verdade. A oração é a arma mais poderosa que podemos ter, é "um armamento invisível", gratuito e disponível 24 horas do dia. Muitos não conseguem valorizar esta dádiva, outros não sabem usá-la voluntariamente ou em espírito.

Deveríamos ficar envergonhados de dizer que temos comunhão com Deus e falamos com Ele, se com a mesma boca liberamos palavras destruidoras.

Não adianta se achar espiritual e orar bonito se depois que você ora, destitui o que instituiu na oração, falando o que é negativo e incrédulo.

> *Pois quem quer amar a vida e ver dias felizes refreie a língua do mal e evite que os seus lábios falem dolosamente.*
>
> *1Pedro 3:10 ARA*

> *A morte e a vida estão no poder da língua; o que bem a utiliza come do seu fruto.*
>
> *Provérbios 18:21 ARA*

Uma pessoa não vai conseguir viver vitórias e novidade de vida se sua boca só conta derrotas.

A língua pode construir ou destruir, é isso que a palavra ensina.

Devemos buscar saúde para o falar o tanto quanto buscamos por descansar bem, nos alimentar bem e viver bem. Se não aplicarmos fé em nossas palavras, então vamos ser mais um na multidão, ao invés de fazermos a diferença dentro dela.

Grande parte da humanidade além de não usar a boca corretamente tem um palavreado "doente".

A Bíblia conta a história de um homem que estava sofrendo há 38 anos, com uma enfermidade que o mantinha paralítico, ele estava parado esperando o milagre de um determinado anjo que descia do céu. Um dia, enquanto estava ali ao lado do tanque onde o anjo descia, o Senhor Jesus parou do lado dele e lhe fez uma pergunta: você quer ficar são? Ao invés de dizer sim a Jesus, ele deu ao Senhor uma "resposta longa e enferma", ela vinha carregada de explicações declarando os "porquês" de sua situação. Aquele indivíduo estava diante da resposta que precisava e não via, quem estava ali com ele, era nada mais e nada menos que o dono do anjo, o dono do tanque, o dono das águas onde os doentes eram sarados, o dono dele mesmo e o dono do milagre que ele aguardava.

Aprendo várias lições com esta história, às vezes estamos em pontos estratégicos e não reconhecemos, estamos ao lado de quem mais pode nos ajudar e não enxergamos, estamos esperando por algo que já nos foi liberado e não nos apossamos. Às vezes tudo que precisamos para viver um rompimento e um milagre é ouvir o que Deus está falando, ao invés de ficarmos paralisados diante do nada no meio de incrédulos e doentes.

Quero te dizer que ainda que você viva algum tipo de paralisia, suas palavras nunca devem ser enfermas. Jesus está ao seu lado como estava ao lado daquele homem. Ele quer te sarar, ouça o que Ele diz no seu espírito, dê respostas positivas a Ele e ao mundo, pronuncie palavras de vida, poder e autoridade em nome dEle, levante-se e viva o seu milagre.

O livro de Provérbios diz que cada um se farta de bem pelo fruto de sua boca, e que, o que a mão do homem fizer, ele receberá.

Graças a sua infinita bondade, Jesus desconsiderou a resposta incrédula e enferma daquele cidadão e o tirou da paralisia. Que neste dia você possa aceitar o que Deus já disse de você e se levante para realizar o propósito dEle. Lembre-se, Ele pode tudo porque é o dono de tudo.

A Bíblia é a palavra escrita e registrada, a palavra sobrenatural (Cristo) se fazendo natural (Jesus homem) em nós.

Devemos abraçar uma mentalidade para criar e um falar para executar, Deus começou tudo assim.

No livro de Isaías está escrito que o Senhor dos Exércitos disse: como pensei, assim sucederá, e como determinei (com a boca), assim se efetuará.

Não consigo ver nada mais poderoso que isso, vejo a obra da criação. Note, no segundo versículo da Bíblia está escrito que a terra era sem forma e vazia, havia trevas sobre a face do abismo, e "O Espírito de Deus" se movia sobre a face das águas, se movia sobre a escuridão, e o vazio desordenado.

O terceiro versículo diz:

E disse Deus: Haja luz. E houve luz.

Manifestações do Pai, do filho e do Espírito Santo. O Pai pensa e decide criar, para isso Ele precisava falar, Ele então libera a palavra: Haja luz. O versículo termina dizendo: e houve luz.

Resumindo, o Deus Pai criou, o filho que é a palavra falou e o Espírito que se movia fez.

A luz de Deus surgiu em meio às trevas e ao vazio, tudo porque Deus pensou e liberou a palavra. Aprenda a pensar alto e criar o que é novo usando sua boca de maneira saudável e extraordinária.

Um determinado dia, Jesus socorreu dez leprosos que foram à Ele clamar por sua misericórdia. Ele liberou sobre eles "uma mesma palavra", e estes indo pelo caminho foram todos curados. No entanto, só um "enxergou" sua cura, voltou e soube ser grato pelo milagre. Não sei se você já fez ou faz parte do grupo dos nove ingratos, mas creio que hoje, você pode se voltar para o Pai eterno e reconhecer os socorros dEle, ainda dá tempo, sua gratidão e conversão poderão te salvar. Seja grato a Deus e viva o Poder do agradecer, o gesto gera o infinito.

AGRADEÇA

1.   Agradeça por poder colocar freios em suas palavras e rejeitar um vocabulário doente em sua boca.

2.   Agradeça pelas palavras que o Senhor está liberando sobre sua vida, te arrancando de toda e qualquer paralisia.

3.   Agradeça com oração e com o uso de palavras extraordinárias no seu dia a dia.

4.   Agradeça pela vida e saiba, com fé você pode pensar em criar e fazer o que vai falar. Estes gestos geram o infinito.

Conheça o autor

BIOGRAFIA DO AUTOR

Pedro Bassini Filho é casado com Fernanda Martos Bassini e nasceu em fevereiro de 1966 em Vitória, Espírito Santo, onde seus pais, Pedro e Vany (casados a 56 anos) o criaram e ele passou grande parte de sua vida.

Quando ainda vivia no Brasil, Pedro foi por 13 anos um dos membros e pastores da Igreja AD Nova Aliança, que fica localizada no centro de Vitória.

Desde 2012, ele reside nos Estados Unidos da América, onde vêm exercendo seu ministério, servindo ao Reino de Deus e às comunidades.

O mesmo é membro e pastor auxiliar de uma igreja brasileira no norte do país, no Estado de Massachusetts.

Quem conhece o Pr. Pedro, sabe que ele ama vidas, manifesta o amor e o poder de Deus em seu chamado.

Fundador do ministério O.R.E.M (O Reino em mim), ele fala com fluência o Inglês e o Espanhol.

Como conferencista e homem verdadeiro, seu caráter, testemunho cristão, dons e ministério profético tem sido evidenciado por todos os lugares onde passou.

Pedro Bassini Filho

INSTAGRAM
pedrobassini_orem

FACEBOOK
Pedro Bassini_OREM

YOUTUBE
O Reino em mim

TELEGRAM
O Reino em mim

E-mail: pedrobassini.orem@gmail.com